アート・プロデュースの冒険

ART

境　新一　編著

論　創　社

はじめに

本書は、筆者が成城大学で担当する総合講座Ⅱ「アート・プロデュース／感動と価値の創造　新たな価値創造の技法」（２０１７年9月～２０１９年1月、全28回）で展開されたアート・プロデュース、〝人を感動させる価値の創造と提供〟の現場に携わる芸術家（アーティスト）、研究者等のオムニバス講義のエッセンスを再現したものである。部分的に筆者が同大学で担当する「成城学びの森」講座での内容も反映している。今回は既に、上梓させていただいた、『アート・プロデュースの現場』（２０１０年）、『アート・プロデュースの仕事』（２０１２年）、『アート・プロデュースの未来』（２０１５年）、『アート・プロデュースの技法』（２０１７年）につづく第5集目となる。

この講座では、アートとビジネスが相互浸透する今日の状況を踏まえて、新たな価値創造の技法について考察するものである。価値創造を担うアート、ビジネスの世界における経営者、クリエーター、プロデューサー、職人（匠）、研究者などをとりあげる。そして、彼らの専門分野と技法、時代を創り、かつ、変えていく行為と作品、能力開発と後継者育成、仕事に対する姿勢から多様な知見を学ぶことを目指す。

具体的にとりあげる対象は、日本ならびに海外における、人文社会・自然科学分野の研究者、美術・

音楽・演劇など芸術・アートの分野（対象としては西洋文化だけでなく、日本の伝統芸能も含む）、衣食住に代表される生活産業やエンタテインメント産業、展覧会・展示会・ファッションショーなどのイベント事業で活躍する経営者、クリエーター、プロデューサー、職人などの価値創造であり、ケーススタディ、プロデュース&マネジメントの理論と事例を本学教員、ゲスト・スピーカーなどの講話も交えながら進めた。

本講座は今年で12年を経過し、副題も「感動を創る」「創造の原点」「感動と価値の創造」などと多少の変化もあるものの、２００９年に開講以来、毎回１００名を超える多数の受講者に恵まれた。また、この間に登壇されたゲスト・スピーカーは、常に私自身が拝聴したいと考え得る最高の顔ぶれを追求した結果、延べ50名を超えるに至っている。彼らの専門分野は、絵画、演劇、衣裳、テレビ（メディア）、音楽（日本、欧米）、伝統芸能（日本の能楽、義太夫、歌舞伎、長唄）と広範囲に及ぶ。勿論、分野の組み合わせは自由である。彼らはアーティストとしては勿論、プロデューサーとしても手腕を発揮されている点に特徴がある。

本書ではこのうち以下の９つのテーマをとりあげている。簡単に紹介したい。

1．アート・プロデュースと物語創造　境 新一

境（本書編者）は成城大学経済学部に所属し、様々な価値創造の枠組みと実践活動を通して、アートとビジネスの関係を探求してきた。そもそもアート（art, arts）とは何か。それは芸術という訳語におさまりきれない多様な定義をもっていることに留意する必要がある。

今後、人とＡＩ（人工知能）に代表されるシステム（機械）の融合により、イベント（コンサート、展

覧会、展示会、ショーなど）は勿論のこと、起業・事業創造をも含む新たな物語創造、価値創造が期待されている。これらの基礎となる分析枠組みが、アート・プロデュースの考え方である。そのなかで物語、物語構築の重要性を強調する。「感動を与える物語」を、当該パターンで説明することができるかを試みることにも意義があろう。社会科学分野の事例であれば、「経営者の伝記」「商品・サービスのブランド構築」についても、物語構築の可能性を探ることは重要であると指摘する。

2．サウンド・ジャパン〜日本を聴く　クリストファー 遙盟

クリストファー遙盟氏は米国テキサス州に生まれ、現在、尺八奏者として世界各地で演奏活動を続け、これまでにCDなどを製作・発表してきた。一方、複数の大学で指導や講義を行い、現在もハワイ大学講師（非常勤、日本音楽）として日米を行き来している。

この稿のテーマは「音」である。日本文化の中で培われてきた音について、日本の外から観つつ、音たちが日本文化の真髄をどのように表現しているのか、またはどのような日本音楽を織りなしてきたのか、など3年間にわたる総合講座を振り返りながら記述している。15世紀のスイス人の医師、形而上学者であるパラケルススは、自然の領域を文字にたとえて、「人間はこれらの文字によって組み立てられた『言葉』である」と主張するが、同様に、人間は音によって組み立てられた一つの「歌」だという。

3．講談師という人生のプロデュース　田辺 一邑

時代は平成から令和に代わり、講談界にも神田松之丞氏（襲名後、神田伯山）という風雲児が登場しているが、これで講談界に本格的なブームが到来するか否かは誰にもわからない。田辺一邑氏は講談師で

ある。基本的にフリーランスの仕事であり、常に自分自身のプロデュース、マネジメントをすることを求められる。田辺氏はＯＬから講談師へ転職という異色のキャリアの持ち主である。はじめは僧侶、お坊さんで出家するという選択肢も考えたそうである。一連の講義では、経験をもとに講談という芸能の可能性、展望を考えると同時に、将来の講談がどのように展開するかも論究する。

4．日本人の食生活及び、日本の食文化について　上神田 梅雄

上神田梅雄氏は銀座「会席料理・阿伽免」料理長などを経て、現在は母校である学校法人・新宿調理師専門学校の学校長である。２０１５年12月、〝和食／日本人の伝統的な食文化〟がユネスコ無形文化遺産に登録された。我が国の伝統的な食文化が、世界的に価値が認められたことは喜ばしい反面、心配される現状がある。多岐にわたる時代の変化への対応に迫われるなか、国家レベルで考え、意識して守り継承していかなければ、伝統的な食文化が消滅しかねない。

彼は先人から受け継いできた、食の知恵を絶やすことなく、次代に継承して行くことを使命と考え、世界中の家庭の食卓に、〝いつも素敵な笑顔の花が咲き続ける〟ように、〝料理道探求の旅〟を歩む。

5．西欧で学んだ音楽やワイン造りからワインビジネス創造へ　小柳 才治

小柳才治氏は現在、一般社団法人日本ドイツワイン協会連合会・名誉会長の地位にある。輸入業務を生業とするかたわら、東京、横浜、名古屋、大阪にてワイン教室を主宰している。

彼自身はもともと声楽を勉強し、声楽家の道を歩んでいたが、縁あってドイツで音楽とワインを学び、最終的にワインビジネスに深く関わることとなった。

ワインビジネスは一人でも可能なビジネスである。その場合、世界のワインのいずれかに絞り込み特殊な高付加価値商品群の販売を目指すのが良いとする。現地へマメに足を運び真の情報を入手して責任ある商品を探さなければビジネスは終わると指摘する。

6. ザ・スズナリ、草創期の驚くべき瞬発力について　野田 治彦

野田治彦氏は、演劇の街、東京都世田谷区にある下北沢でも有名な小劇場、ザ・スズナリの支配人である。呑み屋街〝鈴なり横丁〟の二階にあって昭和の生活感を色濃く残す元アパートがその起源となった。「演劇の神様がいる劇場」とされ、開場以来、多くの演劇人と観客に愛されてきた。今回の稿では、1990年代そして21世紀に入ってからのスズナリにおける〈時代変化への対応〉、〈民間劇場の相次ぐ閉鎖と公共ホールの充実化の中で〉、〈今後の課題〉などの講義テーマのうち、その一部をとりあげている。劇団員の手によって少しずつ祀られた神棚の存在も印象的であった。

7. 筆跡診断士という仕事　林 香都恵

林香都恵氏は、(有) 匠佳堂・代表取締役であり、筆跡診断士として活躍されている。筆跡診断は、筆跡鑑定とは異なり、書かれた文字の特徴からその人の性格や行傾向を分析することに特徴がある。筆跡診断は筆跡鑑定のノウハウから派生し、かつ心理学の影響も受け、筆跡心理学を形成した。人間の成長や幸福に貢献できるツールとなっていくことが期待されている。講義では実際に学生に字を書く演習を通して進められた。

8．分析しないアートセラピー・臨床美術とは　ー新たな自分との出会いー　大倉 葉子

大倉葉子氏はアートセラピー・臨床美術士である。ただ、臨床美術、臨床美術士とは何か、という問いにこたえることは容易ではない。臨床美術とは「分析しないアートセラピー」、彼女は臨床美術独自のアートプログラムを実践していくことにより、クライアントの感性を引き出し、生きる意欲の創出にまで繋げていくという仕事である。彼女が心がけていることは、積極的な情報収集と自らの五感を能動的に働かせ、謳歌することである。

9．「こどもの日」と「成人の日」　田中 宣一

田中宣一氏は、成城大学名誉教授である。柳田國男を中心とする民俗学、日本の年中行事に関する研究の権威として広く知られ、今日も精力的に活躍されている。

今回は、「国民の祝日」の戦前からの制定経緯と今日の意義をふまえるとともに、特に、「こどもの日」と「成人の日」について、その意味と変遷を論じている。論点としては、戦前の祝祭日にはなく「国民の祝日」に加えられた経緯、「国民の祝日」に添えられている祝う理由ならびに当時選定に関わった人の深い願いと苦労に関する考察、最後に民法改正による成人年齢の18歳への引き下げと「成人の日」の位置付けに関する呼称を含め考察する。

今日、アートとビジネスは相互の関わりなしには存続しえない。アートはビジネスに、ビジネスはアートに影響を与える。アートとビジネスの出会いは、究極のところ異分野の人々相互の出会いに尽きる。人々の出会いは単純な彼らの総和ではなく、単体の性質を超えた化合であり、異次元のものを創造

する原点である。縁を結び、縁を尊び、縁に随うことによって、人を感動させる価値の創造および提供がなされる、そして物語を創造しながらプラスαとしていかなる価値を加えるかが重要であろう。

本書において、創造の原点を極める、感動を創るという目標がどの程度達成されているかは、心もとない限りであるが、筆者は彼らの並々ならぬ意欲にあふれた講義と学生の反応を鮮明に記憶している。あとは読者の皆様の率直なご意見、ご感想を頂戴できれば幸いである。

最後に、上記アーティスト・研究者等との縁を導き、特に登壇者として林香都恵氏と小柳才治氏をご紹介下さった天野正昭氏（㈱企画室ゴン代表取締役）に深く感謝したい。そしてご出講ならびに原稿をお寄せいただいた皆様に、心より厚く御礼申し上げる。また、論創社・編集担当の松永裕衣子氏には原稿の収集・整理・構成などに関してお世話になった。ここに深く感謝申し上げる次第である。

境　新一

２０２０年４月　研究室にて

アート・プロデュースの冒険／目　次

1 アート・プロデュースと物語創造

境 新一

◉境新一（さかい・しんいち）

1960年東京生まれ。慶應義塾大学経済学部卒業、筑波大学大学院ならびに横浜国立大学大学院修了、博士（学術）。専門は経営学（経営管理論、芸術経営論）、法学（会社法）。（株）日本長期信用銀行・調査役等、東京家政学院大学／大学院助教授を経て現在、成城大学経済学部／大学院教授。指定管理者選考員会委員長（世田谷区、相模原市）ほか公的職務、現代公益学会・副会長。生活協同組合パルシステム理事（有識者）、桐朋学園大学、筑波大学大学院、法政大学、中央大学大学院、フェリス女学院大学、日本大学、大妻女子大学の各兼任講師（歴任を含む）。主著『現代企業論』『企業紐帯と業績の研究』『法と経営学序説』『アート・プロデュースの現場』『アート・プロデュースの仕事』『アート・プロデュースの未来』『アート・プロデュースの技法』『アート・プロデュース概論』『公益叢書第五輯　文化創造と公益』ほか。

1　アートとは何か

アート（art, arts）とは何か。それには様々な定義がある。

（1）定義のない主観的な表現方法（文芸、美術、音楽、演劇、大衆文化等）五感に訴求して感動の根源といわれる意外性、懐かしさを醸成

（2）様々な表現形態を通してある種の美を創造した作品（藝術／芸術）

（3）熟練した技術（技）

（4）人が自ら生ならびに生の環境を改善するために自然を改造する力（仕業）

（5）（liberal arts）人間を自由にする技、自らの精神を解き放つ学問／基礎教養（藝術／芸術）

医学の世界では日野原重明氏（聖路加国際病院名誉院長、ホスピス・終末期医療）が米国留学中に出会った、ジョンズ・ホプキンス大学（Johns Hopkins University）のウィリアム・オスラー博士（Dr. William Osler、教授・内科医）の「医療とは、ただの手仕事ではなく科学にもとづいたアートである。」とのメッセージに感銘を受け、日野原氏自身が「病む人に対してのArt of medicineを忘れないことが大切。これは言葉によるタッチであり、手によるタッチであり、心によるタッチです。」と述べたことが知られている。ここでのアートは手仕事である（Osler, 2001; オスラー・日野原ほか、２００３　日野原、２０１７）。アートを通して地域の人と人とがハートを通わせ、つながるきっかけになり得る。

一方、芸術とは、表現者あるいは表現物と、鑑賞者とが相互に作用し合うことにより、精神的・感覚的な変動を得ようとする活動といえる。とりわけ表現者側の活動として捉えられる側面が強く、その場

合、表現者が鑑賞者に働きかけるためにとった手段、媒体、対象などの作品やその過程を芸術と呼ぶ。表現者が鑑賞者に伝えようとする内容は、信念、思想、感覚、感情、など様々である。芸術に相当する外国語は多様である。ギリシャ語ではtechne（テクネー）、ラテン語ではars（アー）、英語ではart（アート）、ドイツ語ではKunst（クンスト）などは単に「人工のもの」という意味であり、元来「技術」という訳語が当てられるものであった。現在の芸術の概念は、近代まで単なる技術と特に区別して呼ぶ場合「よい技術、美しい技術」fine art（ファイン・アート）と表現され、むしろ第二義的なものであり、後に芸術の意が第一義となった。中世までの芸術作品を含む、ものをつくる人は職人であり、絵画や彫刻も工房で作業した。この状況はルネサンス期以降に大きく変化する。ルネサンスの個の発見は、限られた個人に備わる芸術の才能を特別なものとし、芸術家が登場するなかで、芸術と技術の分離は決定的となる。産業革命以降、両者は異なるものとなり、アートは自立し、有用性・技術性より精神性を優位とするようになった（境、2015）。アートの原理は、一回しか起こらないこと、一回性をもつことにある。そして一回性により課題ごとに「間」をつくり、調和をはかりながら課題を提起する役割を担う。ヴァルター・ベンヤミン（Walter Benjamin 1892-1940）によればこの一回性がアートのもつアウラ（オーラ）という価値である。今日、複製技術が普及したことによりアウラが失われたという。なお、「藝術」という言葉は、明治時代に啓蒙家、西周（1829-1897）によってリベラル・アートの訳語として造語されたが、いまではアートの同義として使用されている。一方、思想家、佐久間象山（1811-1864）が残した「東洋道徳西洋芸術」という言葉は和魂洋才の意味をもち、ここにみる芸術は技術のことである。また、「藝術」「園藝」に共通する、「藝」には「植える」の意味がある。

アーティスト（artist）とは、デザイナー（designer）とは異なり、顧客や要件にとらわれず、自由な表現行為を通して自己実現を図る芸術家のことである。私自身が考える芸術／アートとは、人を感動させる価値をもつあらゆるものである。それは言い換えると、人間一人一人の中にある理性・感性に訴える「思い」を様々な表現手段を通して自分と他者を結びつけ、共感を創り出せる価値と言えるかも知れない。

19世紀、英国における産業革命の後、商品は工場で大量生産されるようになったが、従来の技術を伝承してきた職人の中には、勤労の喜び、手仕事の美が失われたと嘆く者も現れた。その後、詩人、思想家、デザイナーであるウィリアム・モリス（William Morris, 1834-1896）が生活と芸術を一致させるデザイン思想とその実践である、「アーツ・アンド・クラフツ運動」（Arts and Crafts Movement）を開始し、その後各国に大きな影響を与えた（藤田、１９９６　２００９）。そして、「アート オブ ライフ」（Art of Life）すなわち、生活の中に芸術性、芸術的な要素である色彩・形状・歴史的意義を考慮して、より豊かで快適な生活空間を創造することも考えられる時代になった（境、２００９）。

第二次世界大戦後、社会学者、D・リースマン（David Riesman, 1909-2002）は社会で支配的な文化（mainculture）に対して、マイノリティの文化（subculture）が存在することを明らかにした。少数派集団も含めて受け手を選別しない大量生産・大量消費の文化、「大衆文化」（pop culture）、例えばテレビ、映画、マンガ、広告、パッケージデザイン、日用品、新技術が欧米に広がり、アーティストやデザイナーの直観の根源となった。特に、ポップアート（pop art）は１９５０年代半ばの英国で誕生し、派手、色彩豊か、遊び心をもって社会に革新をもたらした現代美術の芸術運動のひとつである。その起源は、美術評論家Ｌ・アロウェイ（Lawrence Alloway, 1926-1990）が１９５６年に商業デザインなどを指して名付けたことに始まる。さらに１９６０年代に米国ではＡ・ウォーホル（Andy Warhol, 1928-1987）などの芸術家が現れ、今日、大衆文化は美術だけでなくデザインにも大きな影響を与えている（境、２０１７）。

２　アート・マネジメント

アートを経済学、経営学などの社会科学の視点から考える試みはアート・マネジメント（arts management）に起源をみることができ、米国において１９６５年に公的な芸術基金であるＮＥＡ（National Endowments for Arts、米国芸術基金）が設立されたのに伴い、支援を受けた芸術機関に、社会に対する説明が求められた結果、アート・マネジメントの必要性が唱えられるようになった（ボウモル＆ボウエン、１９９６）。林容子らはその定義を、「社会（観客）」と「アート」を結びつけ、社会にアートを循環させる役割を担うものとした（林、２００４、小林＆伊藤、２００９）。

欧米の各国におけるアート・マネジメントの目的として主に４つの項目をあげることができる。

（１）パトロンに代わるアート支援
（２）公正にアートを提供する方法
（３）国家財政の危機に際し、支援の意義を損なわずに効率を求める方法
（４）独自文化のアイデンティティの保護

これに対して、日本の場合、１９８０年代の各地での公共ホール建設が契機となってアート・マネジメントの概念が導入された。欧米では、行政による文化・芸術支援の理論、制度が先行して築かれる一方で、民間（市民、企業等）の文化・芸術支援に対する参画意識も高く、民間による支援の手法が成熟化しているといえる。これに対してようやく日本でも、文化創造に関する独自のマネジメント理論、手

法が創られるべき段階に至っている。特に今日、芸術とエンタテインメント（娯楽）の境界があいまいになる中、両方を扱えるより広い文化創造の理論的枠組みが求められている。

3　アート・プロデュースの意義――マネジメントからプロデュースへ

今日、実業界や芸能界さらには学界、政界（一国の大統領、首相）などで「プロデューサー」としての資質が注目されている。本来、プロデューサー（producer）とは、作品の企画から完成までの一切を統轄する最高責任者である。プロデューサーの行う仕事がプロデュースである。本来、プロデューサーは、経費、予算を握っている人である。仕事の内容としては、①企画 ②予算組み ③実行計画作成（schedule）④責任者、担当者の決定および配置（staffing）⑤出演者の決定および配置（casting）があげられる（境、２０１０）。

プロデューサーに求められる能力としては、五感にもとづく直観力（兆しを察する力）や洞察力（時を見極める力）を基礎として、分析力、企画力、表現力、構成力、統率力などがあげられるが、特にシナリオ・物語構成力（特に予測力）と演出力（特に調整力）は重要といえよう（小島、１９９９）。そして６Ｗ２Ｈの要素を全て満たしながら、企画書・事業計画書を完成させ実行に移す。

プロデュースの対象となるプロジェクトは大きく２つに分けられる。それはアート・プロジェクトとビジネス・プロジェクトである。

まず、アート・プロジェクトの例としては、音楽会、展覧会、博覧会、テーマパーク、映像、芸術祭、スポーツ祭、メディアコンテンツ、上演芸術（演劇、オペラなど）、大学祭、市民祭、企画出版などがあ

表1　企画書・事業計画書の6W2H

構成要素	概　念
Why	企画を行う趣旨・理由
What	企画の内容（具体的な企画、イベントの中身）
Where	対象となる業界、市場
Whom	対象となる顧客
How to	宣伝・広報の方法（競争優位性や独自性）
When	人、物、金の準備および投入時期
Who	能力・経験をもつ人材の確保（出演者、スタッフ、キャスト等）
How Much	必要資金額

（付記）イベント事業の場合、How many（入場者数、来場者数）を加え、6W3Hともいう。
（注）境新一『アート・プロデュース概論―経営と芸術の融合―』（2017年）より再編。

げられる。

一方、ビジネス・プロジェクトの例としては、新規事業、新製品・商品開発、企業買収・提携、起業、地域開発、商店街活性化、商業施設、文化施設、見本市・展示会、経営システム改革（各経営資源別の改革）、新規市場開拓・導入などがあげられる。

ただ、アートとビジネスが相互浸透する今日の状況を踏まえると、これを担うプロデューサーの資質や能力の点では共通する部分も多い（境、２０１７）。

今日、政府として行政主導で文化・芸術を育てるのとは別の、民間主導で文化・芸術を育成する見方が可能である、筆者はプロデュースという行為、個々にプロデュースされる客体としての作品、そしてそれを担う主体としてのプロデューサーの存在を重視して、ここに民間主導型のアート・プロデュースという概念を提起する。アート・プロデュース（arts production）という表現は欧米には見られないが、その意味するところは、実際に、アートを創造する行為としての〝produce arts〟その成果である作品としての"arts production"と表現されることである（境、２０１７）。今日、知的財産を含むアートとビジネスの新たな組み合わせを探り、現場でプロデュースとマネジメントを一体的に行う価値創造（value creation）、感動創造（inspiration creation）、在り方、アート・プロデュース＆マネジメントが目指される方向である。もし作品が市場原理にのるならば、作品は商品に転移することになる（Schiuma, 2011）。

プロデュースとマネジメントには相違点がある。プロデュースは異質の機能をもつ組織・個人や関係者、例えば、アーティスト、クリエーターと調整して、過去にない新たな作品や商品の創造、またそれらを通して聴衆や顧客に価値ならびに感動の創造を実現する。これは０から１をつくる過程である。これに対して、マネジメントは同質の組織、個人や関係者を相手に、部門の目標にそって摩擦をできるだけ回避しながら既存の組織、事業を収益化し継続的に成長させるように運営するのであり、価値の提供に力点がある。これは１を１０に広げる過程である。プロデュースは、個々のマネジメントを総括し、それはブランディングにも結びつく。ただ、両者には共通点も存在し、例えば価値および顧客の創造などをともに目指す点である。

新たな価値創造の例は、様々な分野に見出すことができる。日本の近代資本主義の父と呼ばれる渋沢栄一は５００を超える株式会社を設立・支援し、営利の追求も資本の蓄積も道義に合致すべきとする「道徳経済合一主義」の思想のもとに、公益と私益（私利）とは一体のものであり、公益となるような私益でなければ本当の私利とは言えないとした。渋沢は現代でいえば、日本社会の近代化における創造者、プロデューサーといえる（公益研究センター、２０１３、渋沢、２０１０、渋沢研究会、１９９９）。一方、ＩＴ産業の世界では、米国のスティーブ・ジョブズ（Steven Paul Jobs/Steve Jobs. 1955-2011）がアイフォン（iPhone）の発明によって新たな領域をつくるにとどまらず、顧客のニーズそのものを創造した。彼はプロダクトイノベーションの必要性を強く訴え、新たに創り出される製品によって、何が可能となるか、生活や行動がどのように変わるかを問うた。成功するには、他人の模倣ではなく、まだ誰もが考えていない独創的なビジョンやアイデアと技術・デザインを結びつけなければならない。その原動力は創造力である。ビジョンを描いたジョブズはまさにプロデューサーであり、ビジョンによって世界を変えた（ガロ、２０１１　平野、２０１４）。彼らは強い意思をもって努力をし続けたのである。

　ジョブズはリーダーシップ、創造性、コミュニケーション、成功などについて多くの名言を残している。そのなかに以下の言葉がある

The greatest artists like Dylan, Picasso and Newton risked failure. And if we want to be great, we've got to risk it too.

ディラン、ピカソ、ニュートンのような最も偉大なアーティストたちは、失敗の危険を冒した。失敗を恐れない生き方、挑戦する生き方をする者、まさにジョブズはアーティストでもあった（RISE NETWORKS, 2013）。

　これは科学者にもあてはまることである。素敵な偶然に出会ったり、予想外のものを発見したりすることをセレンディピティ（serendipity）という。セレンディピティは、失敗しても見落とさずに学び取ることができれば成功に結びつくという、一種の成功物語として、またサイエンスの上で大発見をより身近なものとして説明するためのエピソードとして語られることが少なくない。フランスの生化学者、細菌学者であるルイ・パストゥール（Louis Pasteur, 1822-1895）は「運は準備を怠らない者に味方する」（Chance favors the prepared mind、１８５４年、リール大学学長就任演説より）という言葉を残している。ま

た、「偶然も強い意志がもたらす必然である。」これは田中耕一氏がノーベル賞受賞以降の苦悩と認知症予測の新境地が開拓されたドキュメントで述べられた言葉である（ＮＨＫ、２０１９）。

他方、日本のアイドル産業において革新の中心にいたのが、小室哲哉、秋元康らである。ここでは特に秋元に注目したい。彼は放送作家として活動し、１９８３年以降は作詞家としても数々のヒット曲を世に送り出した。現在は国民的女性アイドルＡＫＢ48グループと乃木坂46などの総合プロデューサーも務めた。秋元は儲かる仕組み、ビジネスモデルを構築し、今日の地位を確立した。

秋元は、大衆が新たな種類のアイドルを望んでいるときに、タイムリーに登場させることを実現させ、従来、テレビ、コンサート会場でしか接することのできなかったアイドルの定義を変えた。ニーズのなかったところに、新たなアイドルのニーズそのものをつくり出したといえよう。彼はＡＫＢ48の結成以来「会いにいけるアイドル」の概念のもとで、専用劇場での高頻度の公演・徹底したファンサービス（握手会・写真会、選抜総選挙など）でアイドルとファンとの距離を縮め、より身近な存在にする取り組みを推進した。アイドルのメンバーとファンとはＳＮＳのツールであるブログやTwitterを通して、コミュニティが形成されている（田中、２０１８）。

イノベーション（変革）を起こす人はカリスマ的なリーダーや社会的・経済的に強い力を持つ人々とは限らない。ごく普通の人々が世界を大きく変えることもある（ウェスリーほか、２００８）。一例をあげれば、長野県芋井農村民泊受け入れの会が窓口となり、飯綱町観光協会は、農泊を経験した和洋九段女子高校（東京都）の高校生に対してリンゴ産地である地元を活性化するべくリンゴや地域資源を生かした事業提案のアイデアを募集した。２０１８年以降、毎年変わるテーマに対して同校は継続的にアイデアを提案し、これを受けて町は具体的に商品化をすすめている。彼女たちの発想力は素晴らしい（境、

2020）。

プロデューサーは有名人、大衆を問わず、社会において影響力をもつインフルエンサー（influencer）を巧みに取り込み、ファン層を固める。アーティストは村上隆などの例外を除き、自らをプロデュースできる人は多くない。ここにプロデューサーは、アーティストに対して、世の中の動向を察知し、人の心をつかむ、あるいは時代に先駆ける作品や演技を創るように働きかけることによって、彼らの創造をさらに導くことが可能となろう。

4　アート・プロデュースの枠組み

アート・プロデュースの考え方は簡素である。アートとビジネス、プロデュースとマネジメントを2つずつ組み合わせることにより、4カテゴリーを核とする枠組みとなる。これらは、芸術創造、芸術経営、事業創造、事業経営　であり、アート・プロデュースの裏に、他の3概念が実は表裏一体になっていることが重要であろう。プロデューサーはアートとビジネスの対境担当者、媒介者としてアートをデザインやブランドを通してビジネスにつなげる。アートからビジネスへの転移は事業利益（私益）をつくる行為である。アーティストの作品がプロデューサー、ギャラリスト、オークション市場などを通して商品になり売買される。一方、ビジネスからアートへの転移は社会的利益（公益、社会貢献）をつくる行為である。例えば、欧米では企業・個人がビジネスから得られた利益の一部をアートや文化創造に寄付する。また元受刑者や障がいのある人が専門教育を受けずに創造するアール・ブリュット（art brut）が広く地域に暮らす人々に癒し、安らぎや感動を与え、地域の再生・活性化に役立っている。

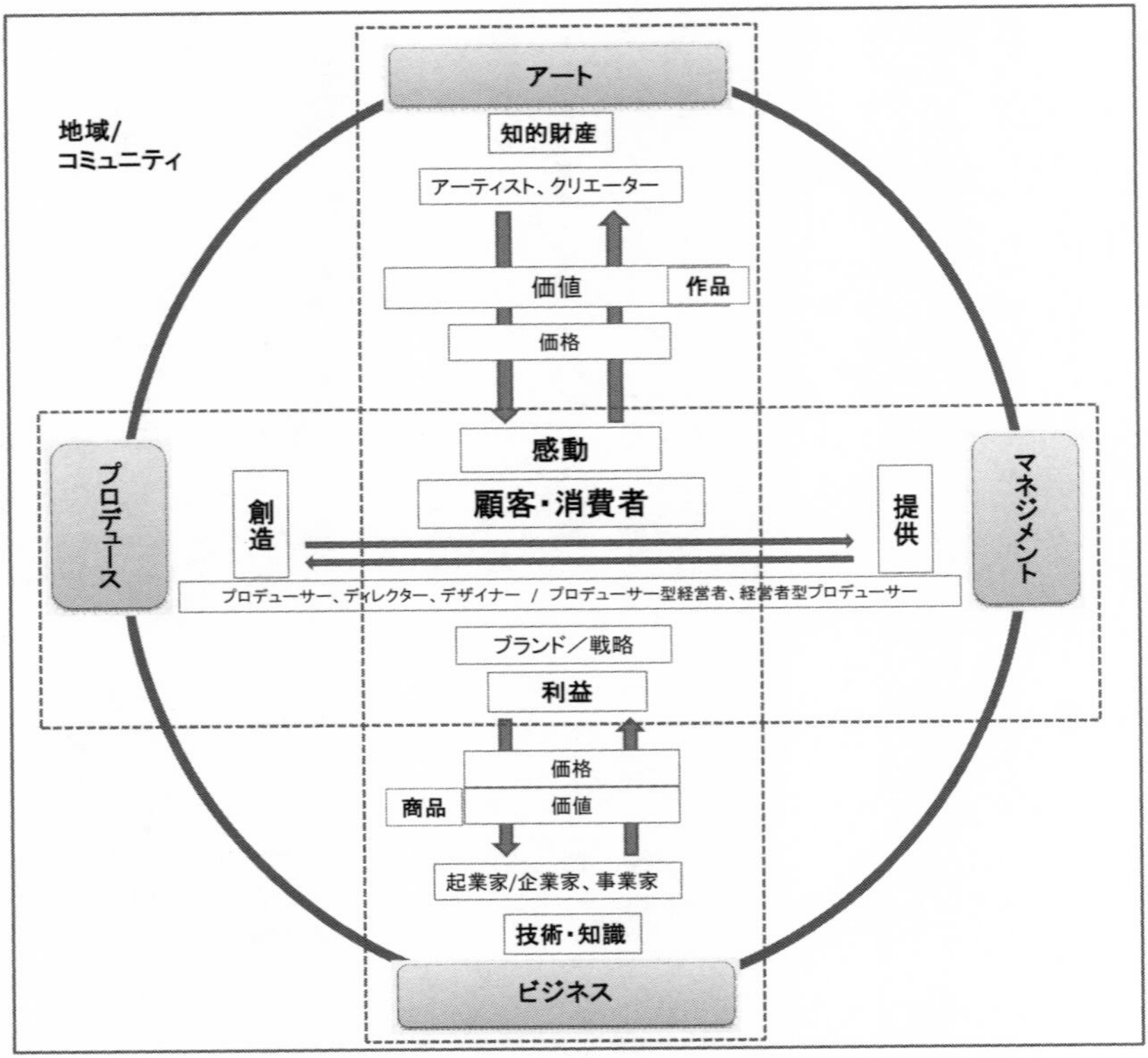

図1　アート・プロデュース論の枠組み
―アートとビジネス、プロデュースとマネジメントの関係―
(注) 境新一『アート・プロデュース概論－経営と芸術の融合－』(2017年) より掲載。

企業が行う文化・芸術に対する支援活動は、一般にメセナと呼ばれる。これはフランス語のmecenatに起源がある。また、広く慈善活動、博愛、利他的な奉仕活動を指す言葉に、フィランソロピー（philanthropy）がある。メセナとフィランソロピーは、それぞれ文化事業と慈善活動に重点があるが、文化創造に対する支援という意味では同等であり、今日、企業の社会的責任（corporate social responsibility：CSR）の起源になっていると考えられる。

プロデューサーは分析と総合、発想と論理を基礎とするデザイン思考をふまえ、アートとビジネスの両行為にかかわって新たな価値創造を行う。アートとビジネスは、デザインを媒介としてつながり、アートが提起する問題をデザインが解決し、ビジネスにも結びつく。ただ、課題は解決すれば終了するわけではなく、常に課題は残り、展開や進化を続ける過程であることに留意する必要があろう。一連の行為は、アートから始まり、デザインを経て再びアートに戻るサイクルとなる。プロデューサーは常に文化創造に資する課題を解決しながら、新たなプロデュース論を提起しなければならない。

なお、プロデュースを可能にする要件について、クラシック音楽等で名プロデューサーであった萩元晴彦は「集める」を含む13項目を指摘する（萩元、２００２）。筆者はこれをふまえつつ、五感（five senses）、ネットワーク（network）、シナリオ・物語（scenario、story）、デザイン（design）、戦略情報（intelligence）、意思決定（decision-making）、ブランド（brand）の7項目、これらの英語の頭文字を並べたFNSDIDBの要件を必要とされる状況で随時確実に備えることのできる者がプロデューサーといえるものと考える（境、２０１７）。

5　STEM, STEAM／科学技術開発に関わる教育モデルと実践

グローバルな技術開発、新産業分野、未来社会のあらゆる局面において次代を担う若者をいかに教育し、人材を育成するか、という社会的課題がある。こうした背景のもとで、早くも１９９０年代に米国国立科学財団（ＮＳＦ）から新たな教育モデルとしてSTEMが提唱された。STEMとは、“Science, Technology, Engineering and Mathematics”すなわち科学・技術・工学・数学を指し、今後必要となる科学技術開発に関して当該分野が初等教育・義務教育から高等教育までの教育政策や学校カリキュラムにおいて重視されるとしている。２００３年よりJournal of STEM Educationも刊行されるに至っている（Gonzalez and Kuenzi, 2012）。STEMはさらにart芸術分野の要素を加えた、STEAM（Science, Technology, Engineering, Art and Mathematics）に展開している。

いずれにせよ、STEM、STEAMは科学技術の理解を深め、それらを利用して新たなものを生み出す力を養う教育として注目を集めている（Feldman, 2015）。日本の文部科学省も、報告書において「文章や情報を正確に読み解き、対話する力、科学的に思考、吟味し活用する力、価値を見つけ出す感性と力、好奇心・探求力」を養成する上でSTEAM教育の重要性を述べている（文部科学省、２０１８）。

6　物語創造の意義と物語学

6－1　物語創造の意義

物語という言葉は日常的に使われている。だが、「物語とは何か」という質問に正確に答えることは難しい。まず、大辞林　第三版（三省堂）によれば、大きく以下の4つの意味が振りわけられている（フィールド、2009　岡田、2001　青木、2018　境、2018）。

1．あるまとまった内容のことを話すこと。ものがたること。また、その内容。話。談話。

2．文学形態の一。広義には、散文による創作文学のうち、自照文学を除くものの総称。

3．浄瑠璃・歌舞伎の演出・演技の一形式。登場人物が過去の事件や心境を身振りを交えて物語る場面。

4．男女が相語らうこと。情を交わすこと。

総括すると、語ること、ある人物によって表現される情景・シーン、恋愛ということになる。原則として目の前で起こっている現象ではなく、「物語性」を有した塊としてまとめたものということになる。4．においては人間関係そのものを指すが、当事者がそこで瞬間的に感じることというよりは、一定期間続く関係性を振り返る文脈で用いられるように思われる。

物語とは進行形で把握される日常的／現実的なものではなく、それが過ぎ去ったのちに回顧される非日常的／非現実的なものという性質を帯びることになる。物語るということはそこに物語があったことを「確かめる」作業といえる。過去に起こった現象を「客観的な事実」として記録するのではなく、

「主観的な出来事」として振り返ることとも言えるのである。ある人の身に起こったこと、その人が感じたことを主観的に語る・書くことが前提としてあり、客観的な事実は物語にはならない。人が客観的な事実、現象を知覚するだけでは飽き足らず、主観的な「物語」を必要とすることをこの言葉は内含している。

なぜこの余剰物が産まれるのだろうか。それを解く鍵は「記憶」にあると思われる。人間の脳はデータベースとしては優秀ではなく、簡単に忘れてしまう。記憶は、曖昧で不安定なものである。しかし、記憶は時に事実よりも鮮明で、確からしく感じるものでもある。だからこそ、人は残したい、振り返らなくてはならないと「物語る」のではないであろうか。つまり、人であれ、出来事であれ、「忘れたくないもの」の中に物語がある。それが現実のものであるか否か、客観的であるかどうかは関係ない。

物語の欠片にテーマを与え、具現化したものが小説であり、映画であり、ドラマである。その中には、記憶を呼び起こし、郷愁を誘い、胸を締め付け、心をゆさぶるものが詰まっている。たとえそれが非現実的な設定であれ、登場人物やそこにある世界に自らを重ね合わせ、共感し、物語に身を委ねることができる。自分自身とは直接関係がなくとも、物語性を共有するというその行為において普遍的なものとなる。だからこそ、多くの人が欲するのであり、ストーリーテラーの存在に価値がある。

そして、物語には、以下の3つの特徴があると考えられる。

1. 物語は、「時間」によって配置される。
2. 物語は、「他者」に向かって語られる。
3. 物語は、「編集」される。

物語の創造は、自ら価値のあるものをみつけ、材料を集め、目的に沿ったものを選び、それらを構築・構造化し、文章で表現、同時にこれらの過程を常に自己評価をすることを要求する。その意味で、物語創造は、未知の課題解決をするため、人間の能力育成の方法のひとつとして有効であるといえる。

6―2　物語の2つの側面ならびに物語学／ナラトロジーの生成

英語で物語を意味する言葉には、story、narrative の2つがある。story は history と同じ起源の姉妹語にあたり、話者（著作者）が重視するのは「出来事」「事件」「何が起きたか」である。

一方、narrative はその動詞である narrate、行為者である narrator からもわかるように、「語り伝えたい物語」「寓意」「教訓」「何を伝えたいか」。story は始点と終点が定まっており、固定的で話の向かう方向性も決まっている。それに対して narrative は始点と終点がなく、方向性がない。そこにある偶然性・意外性が生じる。

物語に関する理論的探究は、アリストテレスの『詩学』にさかのぼることができる。20世紀のロシア・フォルマリズム、および構造主義では、物語構造についての研究が行われ、ナラトロジー narratology（物語学）という独立した分野を成立させた。

ナラトロジーは、物語を、その物語内容 story と語り方 narrating の双方から、またその相互作用において研究することを目的とし、物語を、始点、中間点、終点を備えた一体性をもった言葉の集合であり、何らかの事象の再現行為であると考える。

１９９０年代、「ナラティブ・アプローチ」という臨床心理の新しい方法論が、「ナラティブ／物語」をカウンセリング・セラピーの重要な要素として採用され始めた。ナラティブ・アプローチの発想の核は、「人は、自分の人生の経験に、物語を通じて意味をあたえる」というものである。人々の体験やできごとは、「データ」や「値」のような個別のことがらではなく、体験や出来事を線としてつなぎ合わせることにより意味を理解し、認識の基礎として保持することができる。

対象者の語り、回答を「ナラティブ」と見ると、その物語の「真実性」ではない。対象者の自身についての語りは、語られる他者（調査者、研究者）という媒介者を経ながら、対象者自身によって編集をされ、並べ直され、いかなる物語も常に「語り得なさ」を内包して提出される。ナラティブ・アプローチの前提は、「真実の／ありのままの物語」を想定しない。むしろ、対象者の語るストーリーの破れ、矛盾点、隠したかった物語全体の構造である。

これまでのリサーチが捨ててきた対象者の語りの「矛盾」「曖昧さ」「辻褄の合わなさ」は、その語りを〈物語〉として捉え返すとき、物語全体の構造を眺めるときの重要な手がかりとして活用しうる可能性をもっている。むしろ、自己物語の矛盾のなかにこそ物語の「真実」があるともいえる（浅野、２００１　野口、２００９　バルト、１９７９）。

現場で生まれた価値観や人々に起きた変化を第三者に伝える方法は、物語ならびにデザインの機能をおいて見当たらない。

6-3　プロップの物語構造分析

ウラジーミル・ヤコヴレヴィチ・プロップ（Vladimir IAkovlevich Propp, 1895-1970）は、ソビエト連邦の昔話（魔法昔話）研究家である。ロシア帝国のサンクトペテルブルクに生まれた。１９３２年からレニングラード大学（現サンクトペテルブルク大学）で教鞭をとった。

プロップは、昔話に構造分析を適用した。たとえば魔女や王様、動物など昔話に登場する主人公は彼らが誰であるかを問題にするかぎり無限に存在するが、彼らが何を行い、物語内でどのような機能を果たしているかを分析すると、31の機能分類、７つの行動領域で可能であることを発見した。言い換えると、プロップは物語構造を研究した結果、物語構造のいくつかの要素を選んで整理すると全ての物語を説明できるとしたわけである（プロップ、1983; 1987; 2009）。

主著である『昔話の形態学』は、１９２８年の出版当時は反響が少なかったものの、１９５８年に英訳が出版されて以降、現在では構造主義の先駆的仕事として評価されている。具体的にプロップが提唱した機能分類（31通り）と行動領域（7通り）は以下の通りである。

（a）７つの行動領域

「敵対者（加害者）」、「贈与者」、「助力者」、「王女（探し求められる者）とその父」、「派遣者（送り出す者）」、「主人公」、「偽主人公」

（b）31の機能分類

「留守もしくは閉じ込め」、「禁止」、「違反」、「捜索」、「密告」、「謀略」、「黙認」、「加害または欠如」、「調停」、「主人公の同意」、「主人公の出発」、「魔法の授与者に試される主人公（贈与者の第一機能）」、「主人公の反応」、「魔法の手段の提供・獲得」、「主人公の移動」、「主人公と敵対者の闘争もしくは難題」、「狙われる主人公」、「敵対者に対する勝利」、「発端の不幸または欠如の解消」、「主人公の帰還」、「追跡される主人公」、「主人公の救出」、「主人公が身分を隠して家に戻る」、「偽主人公の主張」、「主人公に難題が出される」、「難題の実行」、「主人公が再確認される」、「偽主人公または敵対者の仮面がはがれる」、「主人公の新たな変身」、「敵対者の処罰」、「結婚（もしくは即位のみ）」

マリー＝ロール・ライアン（Marie-Laure Ryan）は、それをさらにすすめ、ルールベースのＡＩ（人工知能）による物語生成のアルゴリズムとして、状態遷移・文脈依存文法・シミュレーション型・問題解決型・作者の視座に分類して論じ、物語の自動生成の可能性について検討している。しかし、「ここでの議論は完成されたアルゴリズムとしてではなく、なにかしらユートピア的な青写真として受け取ってほしい」と述べられているように、実際にこれに基づいて、美的評価基準を持ったプログラムが直ちに開発可能となったわけではない。

7　イベントにおける物語創造「遊・休・知・美」

一般に、イベント（event）とは、ショーや展覧会などの行事または催物と訳され、特定の目的、期間、場所で、対象者に、個別、直接に刺激を体感させるものであり、人的・物的資源、情報の集積場、心の交流の場となる。それは小坂善治郎氏によれば、双方向のパーソナル・コミュニケーション・メディア（personal communication media）とも表現され、送り手（アーティスト）と受け手（聴衆）との双方で伝達しあうことである（小坂、１９９１）。送り手は意図をもってイベントを行い、これを通して体感情報を伝達する。一方、受け手の中心は情報の受け手であり、参加者である。イベントには、企業や地域の基本的な理念や考え方、思想、立場、目指す方向等、外部に自分をアピールするコミュニケーションの側面と、宣言した自分と同一化するためになされる組織内部の意識改革の側面、この２つの側面がある。さらに、芸術／アート共に、イベントの１回性、すなわち毎回１から構築されることにもイベントの特徴があろう。

イベントを構成するためには、物語創造を行わなければならない。例えば、日本古来の考え方に、

「起・承・転・結」や「序・破・急」の概念がある。ここでは、イベント制作会社B．B．カンパニーによる、物語創造をよりドラマティック、劇的なイベントに仕上げるための、「遊・休・知・美」の概念をファッション・ショー、展覧会の事例をもとに紹介したい。

（1）ファッション・ショーの事例

「遊」（カジュアル）：幕開けは華やかに、そして軽やかにすすめる。衣装も、音楽も、通俗的な雰囲気があふれている。

「休」（リゾート）：避暑地の雰囲気をつくる。何の予定もない自由な時間であり、リラックスできる衣装と情感あふれる音とに包まれる。

「知」（インテリジェント）：知性が光る瞬間である。大都会の中で働く女性を表現する。衣装も音楽も現代的で、少々非日常的である。

「美」（パーティー）：幕切れは優美に、ロマンチックにすすめる。衣装も、音楽も、華麗な夜の雰囲気をつくる。

（2）展覧会の事例「展覧会」の場合、プロローグ（prolog 導入部＝入口部分）に「大作」を置き、アイキャッチャー（eye catcher）とする。会場内に入れば「遊・休・知・美」で構成する。

「遊＝小品」→「休＝癒し系の作品」→「知＝現代アート」→「美＝本命の作品」

イベントを4部構成で考える時、「ショー」「展覧会」の構成は勿論のこと、「講演会」台本の構成にも使用することが可能である。「遊・休・知・美」は、非常に優れたイベントの原理といえよう（B．B．カンパニー、２０１８）。

8　アート・プロデュースの新展開──人とＡＩの融合による新たな価値創造

今日、国・地方公共団体など上から組織で行うのに代わって、個で行う文化・芸術の創造、支援こそが必要である。また一般的に芸術と娯楽を峻別せずに、これらは一緒に論じられるべきである。

一方、ＡＩ（人工知能）に代表されるシステム（機械）が台頭する状況下では、今後、人と機械の融合により、ベント（コンサート、展覧会、展示会、ショーなど）は勿論のこと、起業・事業創造をも含む新たな物語創造、価値創造が期待されている。これらの基礎となる分析枠組みが、アート・プロデュースの考え方である（境、２０１７）。

今日の急速に展開しているＡＩ（人工知能）に物語を創造することは可能か。マリー＝ロール・ライアンがプロップの研究をさらにすすめ、物語の自動生成の可能性について検討していることはすでに述べた通りである。

多摩大学教授・出原至道氏は、要素の概念をシステム上に保持する目的で、単語の概念をベクトル化するword2vecの導入実験を行っている（Tensorflow, 2019）。Continuous Bag of Words（CBOW）モデルを用いたword2vecシステムでは、ある単語から、文章中でその単語の近傍に出現する他の単語を推定するようニューラルネットワークを学習させ、単語の概念をベクトル演算することが可能となる（境、２０１９）。導入実験に利用したデータは、鈴木らの作成した「日本語Wikipediaエンティティベクトル」であり、日本語版Wikipedia全文をもとに学習し、各単語が２００次元の概念ベクトルで表現されている（鈴木ほか、２０１６、境、２０１９）。

物語構造の分析をＡＩに行わせ、日本語の単語概念をモデルによって自動的に数値化する。これによって、単語概念がベクトル空間に位置づけられる。適当なテキストに関して人間が抽出する単語ベクトルの遷移によって、そこにある物語が特徴づけられる。ベクトルの遷移をクラスタリングによって分類し、遷移構造のパターンを抽出し、一般の「感動を与える物語」を、当該パターンで説明することができるかを試みるも意義があろう。社会科学分野の事例であれば、「経営者の伝記」「商品・サービスのブランド構築」についても、物語構築の可能性を探るのも一法である。

ただ、既にチェスと将棋については、ＡＩが人間に勝利しており、ＡＩの進化速度が技術的特異点（technological singularity、シンギュラリティ）を迎えて、予測が可能となる時代の到来も遠くないと言えよう。

例えば、既に述べた物語構造の分析をＡＩに行わせ、日本語の単語概念をモデルを利用して自動的に数値化する。これによって、単語概念がベクトル空間に位置づけられる。適当なテキストに関して人間が抽出する単語ベクトルの遷移によって、そこにある物語が特徴づけられる。ベクトルの遷移をクラスタリングによって分類し、遷移構造のパターンを抽出し、一般の「感動を与える物語」を、当該パターンで説明することができるかを試みるも意義があろう。社会科学分野の事例であれば、「経営者の伝記」「商品・サービスのブランド構築」についても、物語構築の可能性を探るのも一法である。

【参考文献】

青木勇気（２０１８）「物語とは何か」Ｗｅｂサイト。

http://agora-web.jp/archives/1416793.html（最新参照　２０１９年６月）

浅野智彦（２００１）『自己への物語論的接近』勁草書房。

岡田英弘（２００１）『歴史とはなにか』文春新書。

小坂善治郎（１９９１）『イベント戦略の実際』日経文庫。

小島史彦（１９９９）『プロデューサーの仕事』日本能率協会マネジメントセンター。

公益研究センター（２０１３）『東日本大震災後の公益法人・ＮＰＯ・公益学　第一輯』文眞堂。

小林真理監修・編、伊藤裕夫ほか（２００９）『アーツマネジメント概論　三改版』水曜社。

境　新一（２００９）『今日からあなたもプロデューサー　イベント企画制作のためのアート・プロデュース＆マネジメント入門』レッスンの友社。

境　新一（２０１０）『アート・プロデュースの現場』論創社。

境　新一（２０１５）『現代企業論―経営と法律の視点［第５版］』文眞堂。

境　新一（２０１７）『アート・プロデュース概論―経営と芸術の融合』中央経済社。

境　新一（２０１８）「生涯学習支援事業・成城学びの森秋冬講座　ＡＩ時代におけるアート＆ビジネス・プロデュース―物語創造手法」資料。

境　新一（２０１９）「２０１８年度成城大学特別研究助成 成果報告書（経過報告用）［共同研究者：出原至道］」。

境　新一（２０２０）『アグリ・アート―感動を与える農業ビジネス』中央経済社。

渋沢栄一（２０１０）『国富論実業と公益』国書刊行会。

渋沢研究会編（１９９９）『公益の追求者・渋沢栄一―新時代の創造』山川出版社。

鈴木正敏・松田耕史・関根聡・岡崎直観・乾健太郎（２０１６）「Wikipedia 記事に対する拡張固有表現ラベルの多重付与」『言語処理学会第22回年次大会（NLP2016）』。

田中雄二（２０１８）『ＡＫＢ48とニッポンのロック　秋元康アイドルビジネス論』スモール出版。

野口裕二編（２００９）『ナラティヴ・アプローチ』勁草書房。

萩元晴彦（２００２）『萩元晴彦著作集』郷土出版社。

林　容子（２００４）『進化するアートマネージメン』レイライン。

日野原重明（２０１７）『生きていくあなたへ　一〇五歳　どうしても遺したかった言葉』幻冬舎。

平野暁臣（２０１４）『世界に売るということ　平野暁臣の仕事の鉄則』プレジデント社。

藤田治彦（１９９６）『ウィリアム・モリス―近代デザインの原点』鹿島出版会。

藤田治彦（２００９）『もっと知りたいウィリアム・モリスとアーツ＆クラフツ』東京美術。

フランシス・ウェスリー、ブレンダ・ツィンマーマン、マイケル・クインパットン、東出顕子訳（２００８）『誰が世界を変えるのか　ソーシャルイノベーションはここから始まる』英治出版。

ウィリアム・オスラー、日野原重明・仁木久恵訳（２００３）『平静の心―オスラー博士講演集　新訂増補版』医学書院。

カーマイン・ガロ（２０１１）『スティーブ・ジョブズ　驚異のイノベーション』日経ＢＰ社。

ロラン・バルト（１９７９）『物語の構造分析』みすず書房、花輪光訳。

シド・フィールド（２００９）『映画を書くためにあなたがしなくてはならないこと　シド・フィールドの脚本術』フィルムアート社、安藤紘平・加藤正人訳。

ウラジーミル・プロップ（１９８３）、斎藤君子訳『魔法昔話の起源』せりか書房。

ウラジーミル・プロップ（１９８７）、北岡誠司・福田美智代訳『昔話の形態学　叢書記号学的実践10』白馬書房。

V・プロップ（２００９）、齋藤君子訳『魔法昔話の研究　口承文芸学とは何か』講談社学術文庫。

ボウモル.W.J.＆W.G.ボウエン（１９９６）、池上惇・渡辺守章 訳『舞台芸術―芸術と経済のジレンマ』芸団協出版部。

マリー＝ロール・ライアン（２００６）、岩松正洋訳『可能世界・人工知能・物語理論（叢書 記号学的実践）』水声社。

文部科学省（２０１８）「Society5.0に向けた人材育成～社会が変わる、学びが変わる～」（２０１８年６月）
http://www.mext.go.jp/b_menu/activity/detail/2018/20180605.htm
同・報告書概要
http://www.mext.go.jp/component/a_menu/other/detail/__icsFiles/afieldfile/2018/06/06/1405844_001.pdf（最新参照　２０１９年９月）
B．B．カンパニー（２０１８）Ｗｅｂサイト。
http://www.geocities.jp/event_go/page003.html（最新参照　２０１８年３月）。
Feldman, Anna（2015）, Why We Need to Put the Arts Into STEM Education（Jun 16, 2015）　Web サイト
https://slate.com/technology/2015/06/steam-vs-stem-why-we-need-to-put-the-arts-into-stem-education.html（最新参照　２０１９年９月）
Gonzalez, H. B. and J. J. Kuenzi（2012）, CRS Report for Congress Prepared for
Members and Committees of Congress Science, Technology, Engineering, and Mathematics（STEM）Education: A Primer（2012-Aug-1）,。
ＮＨＫ（2019）：ＮＨＫスペシャル「平成史」第５回「〝ノーベル賞会社員〟～科学技術立国の苦闘～」。
Osler, Sir William（2001）: ［edited by］ Shigeaki Hinohara and Hisae Niki; with a foreword by John P. McGovern, Osler's "a Way of Life" and Other Addresses: With Commentary and Annotations, Duke University Press.
RISE NETWORKS（2013）10 Powerful Quotes From The Steve Jobs Movie And What They Teach Us About Leadership
https://risenetworks.org/10-powerful-quotes-from-the-steve-jobs-movie-and-what-t hey-teach-us-about-leadership/（最新参照、2020年１月）。
Schiuma, G.（2011）, The Value of Arts for Business, Cambridge Univ Pr.
Tensorflow（2019）「単語埋め込み（Word embeddings）」
https://www.tensorflow.org/tutorials/text/word_embeddings（最新参照、２０１９年11月）。

2 サウンド・ジャパン——日本を聴く

クリストファー遙盟

©Eiichiro Iwasa

⦿クリストファー遙盟（ようめい）・ブレィズデル

琴古流尺八奏者で人間国宝の山口五郎のもお師のもと、1972年から師が逝去する1999年まで、尺八の研鑽を積む。日本音楽の研究家でもあり、1982年、東京藝術大学で民族音楽学の修士号を取得。1984年に山口師より「遙盟」の芸名を授けられた。日本人以外で師より芸名を与えられたのは二人しかおらず、遙盟はその第一号である。遙盟のレパートリーは古典様式の三曲合奏と、高尚な本曲独奏を基盤としている。一方、現代曲の正確な演奏と即興能力でも知られている。ハワイ大学マノア校、国際基督教大学（東京）、テンプル大学（日本校）、アールハム・カレッジ（インディアナ州）、チュラロンコン大学（タイ、バンコク）、テキサスA&M大学、ワシントン大学（シアトル）、カレル大学（プラハ）など、多くの名だたる大学で指導、及び講義の経験を持ち、現在も世界各地で演奏活動を続けている。多くのCDなども発売されている。合気道四段。

1　はじめに

私は米国テキサス州に生まれ、現在、尺八奏者として世界各地で演奏活動を続け、これまでに数枚のCDなどを作り・発表してきた。一方、チュラロンコ大学（タイ国バンコック市）、カレル大学（プラハ）、国際基督教大学（東京）ほか複数の大学で指導や講義を行い、今もハワイ大学講師（非常勤、日本音楽）として日米を行き来している。

この稿のテーマは「音」である。音と人間の関係について様々な側面から思い巡らしたことを、来日した時点から書いてみたかった。日本文化の中で培われてきた音について、日本の外から観つつ、音たちが日本文化の真髄をどのように表現しているのか、またはどのような日本音楽を織りなしてきたのか、など考えてみいたと思う。私はこのテーマについて成城大学での3年間にわたる総合講座を振り返りながら追ってみた。

音は人間精神の極めて高い部分と関わりを持つものであるがゆえに「音」の世界を大切にしてきた。「音」は自然界を構成する基本要素である。なぜなら、それは、外の世界を知り、更に自分の内なる世界を知るための重要な手段になるからである。身の回りに注意を払い、音の世界に敏感な耳を育むためには何が必要となるか。

視覚の場合、瞼を閉じることによって視野を遮断することができる。しかし、耳には蓋がない。強固な耳宛やヘッドフォンを持ち出さない限り、塞ぐことが容易ではないので、「音」は絶えず自分の身体に流れ込んでくる。そのおびただしい量の「音」をどう処理すればよいのだろうか。そして一体「音」

はどのような意味を持つか。「音」は周りの世界、外界について、何を教えるのか。

それにしても、聴覚は不思議な感覚である。聴覚を研ぎ澄ませることによって、世界を再発見することにつながる。我々は、視覚に障害がない限り、外の世界の認識はもっぱら目に頼りがちだ。ともすると通常、耳の力はフルに働かせていない。また、ことばで風景や物事を説明するときにも、視覚的な例えを使うことが多い。実際、日常的な言語に視覚的な比喩は多いにもかかわらず、聴覚的な比喩は少ない。それはなぜだろうか。聴覚は世界を知るために最も重要な感覚の一つなのに、なぜ視覚の次なのだろうか。

2 耳掃除

より一層「音」に敏感になるには、まず耳を開いて集中しなければならない。「サウンド スケープ（音の風景）」の提唱者、カナダの現代作曲家・前衛作曲家マリー・シェーファー（Murray Schafer, 1933-）の「イヤー・クリーニング（耳の掃除）」の考え方を紹介したい。

「耳掃除」という考え方はこれまでに日本においてで様々な人によって紹介されて来た、シェーファーが１９６７年頃に打ち出した概念である。英語で「Ear cleaning」といい、まさに耳の掃除の意味となる。元々、彼が大学の一年生の音楽講義のために考えだしたコトバだという。彼は音楽を聴くにも、また演奏するにも、まず「耳を掃除」することが必須の条件であると強調する。

「掃除する」という表現はもちろん比喩である。日本語であれば「耳を澄ます」の表現が近いと思う。要するに心の耳を全開にして聴く態勢を作ることを意味している。シェーファーの音楽講義では、学生たちは自分たちの周りにあるにもかかわらず今まで気づかなかった音をもっと大事にしなければならない、と教えられる。周りの音には二通りある。ひとつは自動的に聞き入れる他者の音と、もうひとつ自ら作り出す音だ。そして、彼は音楽家になるには、その両方に耳を開くことが欠かせないトレーニングの一つだ、という。

彼が講義のために用意した小冊子「Ear Cleaning」は学生のための音の世界へのガイドであり、音楽への全く新しいアプローチを打ち出すものでもある。それは音に関するトピック、例えば「ノイズ」、「沈黙」、「トーン」、「音色」、「音量」、「旋律」、「テクスチュア（音楽構成）」、「リズム」、「サウンドスケープ」など11の章から構成されている。音楽に対する既成概念を（破り）、音楽の基本要素を観てから再び全体を考えるという、学生にとっても大変わかりやすい記述になっている。さらに、各章に音の認識を促すためのゲームや課題が載っているので、本書の最後の章にもこれらのいくつかを紹介する。ところで、この小冊子で最も重要なことは最終章に取り上げられた「サウンドスケープ」という概念といってよいであろう。

１９８０年代にシェーファーの作品と彼の音の哲学を勉強するためにカナダに留学した音楽研究家、鳥越けい子は、いち早く「サウンドスケープ」論を日本に紹介した。その論をごく簡単に説明すると、「サウンドスケープ」とは目で見る「ランドスケープ」（風景）からヒントを得て、耳で聞く、音の風景のことである。周りの風景に溢れているすべての音の現象がこの論の意識対象となる。さらに、民族音楽研究家、中川真はシェーファーの「サウンドスケープ」論を次のように説明する。「私たちの周囲のすべての音現象が、サウンドスケープ論の対象として、改めて立ち上がってきた。雨や風などの自然音から、人間の生の営みにかかわる人工音（交通機関や産業・生活音など）、さらにはロックやクラシックなどといった「音楽」に至るまでの諸音響が、解放的にそして拡散的に、あるいは多層的に鳴り響くありさまを、サウンドスケープ論は多角的な分析法により、聴覚の風景としてまざまざと描き出していた。」

当然のことながら、外界の音に敏感になるためには耳そのものをフルに働かせる以外にはない。ひたすら「聴こう」とする意志と、耳を開こうとする努力だけが必要だろう。聴くことを妨げている障害物を取り払って「耳掃除」をしよう。「耳掃除」とは、普段の生活に漫然と聞こえている雑音を一旦片付けてから、逆に今度は自分から意識して外の世界の音を受け入れることである。春風の吹く音がすぅーっと耳に入ってくる。気持ちがいい。

3 周りの風景を「耳」で体験する

私たちは普段、周りの音に対してどの程度注意を払っているだろうか。最も生活に近いところ、例えば自分の寝室にはどのような音があるのか、気をつけて聞いたことがあるだろうか。ベッドで横になる時、体の重さでマットレスが発する小さな音、あるいは布団を押し入れから聞き引っぱり出して畳に敷く時、布と布がこすれ合って聞こえる音。台所やトイレ、玄関などからも様々な音たちが常に出ている。私たちは気づいているのだろうか。

また静かな部屋に一人腰をおろし、目を閉じる。腹式呼吸を4、5回しながら自分の息(空気の流れ)の音にひたすら集中してみる。落ち着いたら普段の静かな呼吸に戻る。今度は自分の体の外へ意識を向けて、あらゆる音に注意して聴いてみる。視覚の刺激が入らないので耳の働きが活発になり、より敏感になる。近いものも、遠いものも聴いてみよう。さあ、耳でどのようなすばらしい音をキャッチできるだろうか。周りのモノが生き物のように無数の音を絶え間なく発し続けている。もしかしたら、外界のさまざまな音をあまり意識せず、そのまま聞き逃してしまっていないだろうか。

もうひとつの「音の発見」の例として自分の家から駅までの道にある情景を説明する、としよう（この課題をよく学生に宿題として課する）。大半の人は「目」に見えるもので説明する。たとえば、「家を出るとすぐ大きな木が立ちの並ぶ公園があって、葉っぱが芽生え始めた木の間を縫うように小川が流れ、水の上を鴨が泳いでいる。公園の先に大きなスーパーがあって、建物には至るところ派手な立て看板や宣伝ポスターが出ている。スーパーを通り過ぎたら、店のぎっしりと立ち並ぶ駅前商店街に出る。店の奥から溢れ出さんばかりにディスプレーされた品物が、朝の陽の光に輝らされてとてもカラフルである。それを通り抜けると広い幹線道路に出る。その交差点を渡れば駅だ。」という風に。つまり視覚で風景を確かめているのである。

しかし、仮に目ではなく、耳を中心に同じ駅までの道を辿れば、説明の仕方は全く違ってくる。「家を出た途端、ピューッと鳴りながら吹きつけるのは「春一番」の風。カラカラとそこらの地面から枯れ葉の舞い上がる音。正面は公園で、子供の遊び声がしている。サラサラと瀬音を立てて小川も流れ、クワックワッと鳴いているのは鴨だ。ザブン（!）あ、水に潜った。この公園の向こうからざわめきが聞こえて来る。あれは大きなスーパーの買い物客だ。パタパタと音たてて、特売日のノボリが風にはためく。その前を通り過ぎれば、またしても雑踏の賑わいが。今度は商店街だ。いつ来ても同じBGMが流れている。それに個々の店のスピーカーからもいろいろと音が聞こえて来る。これを抜けると交差点。ゴーゴーと怒鳴るような音に取り巻かれる、車通りの激しい道だ。ここを渡りきると、上手から聞こえて来るのは到着電車のアナウンス。駅の高架線路が近い。階段を上ってホームに出る。ドアが締まる音、発車の合図、音がゴチャゴチャに聞こえて来る。」

実は、私たちの周りの音はとても豊かで、また貴重な存在である。しかし、ほとんどの人は普段注意を払っていない。周りのサウンドスケープでは、安堵や不安を与える音、癒す音や害をもたらす音、感覚を鈍感にさせる音や悟りの境地に導く音など、「サウンド」には様々音がある。耳を研ぎ澄ませながら、自分の周りの世界の「音たち」をいかにして楽しむかというテーマとして、伝統音楽も含めて日本の文化にどのような「音」が存在するか、を考えていきたい。

4　初めて出合った新鮮な日本街並みの音

日本の文化は特に、豊かな音で溢れている。私は1972年に留学生として初めて来日し、これまで耳にしたことのない、新しい音にたくさん出合った。日常の音もあれば、非日常の場での特別で高尚な音もあった。これらの音は日本人にとって当たり前かもしれないが、私にとっては大変新鮮に聞こえた。また母国の米国とは全然違う音だった。

まず、電車と駅周辺の音が面白かった。初めて東京の電車に乗ったのは、ホームステイ先の家に行ったときだった。ホームに入る電車は、甲高い「キー」とブレーキの音をたてながら止まる。ドアが開いた途端、「ドタドタ」と、まるでテキサスの牧場で牛が集団暴走するように、降りる乗客の足音がした。その後、いったん軽くなった車両は「ギシギシ」とつぶやく。

下車駅の改札口では、「カチカチ」と早いリズムの、今までに聞いたことのない妙な金属的な音が聞こえた。最近の自動改札口ではその音は完全消えてしまったが、駅員が切符をはさみで切る音だった。しかし不思議なことに、乗客が誰もいなくても駅員がこの動作を止めることがないので、ガラガラの駅でも音は鳴り続ける。駅を出ると、すぐ踏切があった。近付くと、突然「カンカンカンカン」と鳴り始め、渡ろうとする人々が一斉に足を止め、皆静かに待っている。目の前に長い竹竿が上から降りてきたのには、ちょっと驚いた。米国にももちろん遮断機はあるものの、日本の竹竿は指揮棒のような存在感があった。警報音も、大きな音に聞こえた。米国では、道路が広いので、かなり離れた所から鳴っているように聞こえる。

その日の案内役は、ホームステイ先のお母さんだった。夕飯の買い物をするために、途中にある商店街に連れて行ってくれた。夕方6時少し前だったので、店先はすでに買い物客でにぎわっていた。果物、野菜、見たことのない魚など、いろいろな食料品が狭い路地に溢れ出していた。それぞれの店の前に主人が立って、ガラガラ声で「イラッシャイ、イラッシャイ」と客を呼ぶ。その声がざわざわする商店街中にも響き渡っていた。

彼女は慣れた動作で、店から店へとすばやく足を運んだので、私はついていくのがやっとだった。やがて、ぎっしりと並んだ店の間にあった、竹の塀に囲まれた小さな庭の前を通った。そこで彼女は突然止まって、耳をそばだて、何かを一生懸命聞こうとしている。私も注意して聞いてみると、雑音の中で小さく「カッコーン」と何かが鳴った。彼女は「クリスさん、この音知っている?」と私に聞いた。

商店街の中の庭から聞こえた「カッコーン」という音は「シシオドシ」だとお母さんが教えてくれた。のぞいてみると、太い竹の筒が、流れ落ちる水を受ける装置になっていて、水の重さで竹が傾いて水をこぼすと、反動で地面の石をたたき、「カッコーン、カッコーン、カッコーン」と、一定のリズムを打

つ。途切れることのない通奏低音のように、商店街のにぎやかな音の底にシシオドシの音は染み渡った。
　買い物を済ませて家に帰ろうとした時、頭上のスピーカーからいきなり歌が流れ出してきた。単純な音階で聞きやすいメロディだったが、日本の歌をよく知らなかった私にとっては新鮮だった。しかし、なぜここで流れるのかと、不思議に思い、「これ、ナニ?」と、私は空を指さしながらお母さんに尋ねた。彼女は「～夕焼け小焼けで日が暮れて、山のお寺の鐘が鳴る」と、その一節を歌って、そして「毎日、決まった時間に放送するのよ」と時計を確かめながらいった。
　にぎやかな商店街を後にして、私たちは小高い丘を上りながら家へと向かった。日本語の理解はまだ不完全だったけれど、この歌の歌詞を考えていた。「～鐘が鳴る」。ああ、さっき商店街のノイズの中で、すばらしいシシオドシの音を聴いたが、夕暮れの寺の鐘も聞こえてくれば、最高だなと、ちょっとしたファンタジーを抱いた。
　急な上り坂の道の脇に大きな敷地があり、木がもうも

うと繋って、その薄暗い木陰からカラスの鳴き声がぽつんぽつんと聞こえてきた。お母さんは口ずさみ続けた。「〜おててつないでみな帰ろう、カラスと一緒に帰りましょう」

その大きな敷地の向かい側で、古い家の取り壊し工事が行われていた。その前でお母さんは足を止め、そちらを指さした。半分瓦礫となった屋敷の中に舞台の跡がはっきりと残っていた。その下に、4つほどの大きな壺が埋められていた。「ここは能楽師のお宅だったから、能の舞台があったのよ。床下に壺を埋めておくと、舞台を足で踏む時よく響くの」と彼女が説明してくれた。能はまだビデオでしか見たことがなかったが、どのような音がするか、想像ができた。声と笛と鼓の調べとともに、舞台そのものも楽器になるのである。

やがてホームステイ先のお母さんの家に着いた。駅を降りてから30分もたたないうちに、生まれて初めて聴く、新しい音にたくさん出会ったことになる。幸いなことに彼女は東京藝術大学出身のピアノの先生で、音の世界が良く分かる人だったため、いろいろな音を教えてくれた。しかし、驚くのはまだ早かった。

ホームステイ先で下宿した数カ月間、いろいろな新しい音を体験した。ある夕方、食卓に着いて、さて食べようとしたところ、外で笛の音がする。二つばかりの音で成り立っている、やや寂し気なメロディが、何回も繰り返されている。オーボエを荒くしたような、とても不思議な音だった。それを聴いていると落ち着かなくなり、さっそく窓に行って家の前の道を見下ろした。お母さんは「豆腐屋さんのチャルメラよ。毎日この時間にやってくるの」と説明してくれた。なるほど、この国は豆腐を宅配するだけではなく、笛を吹きながら品物を届けるのか。すばらしいな、と一人感激しているうちに豆腐屋さんのメロディがだんだんと消えていった。

ホームステイ先の家は新宿区下落合にあり、私の部屋は新目白通りの真上だった。車の音が絶えなかったのだが、天候（気温と湿度）によって音が微妙に違ってきた。カラカラの冬の日は、音全体が硬くなり、道中に響くように聞こえたが、雨の日は道路の音がとても柔らかくなり、タイヤが散らす小さい水しぶきが、時にはとてもセクシーに聞こえた。米国でタイヤの音をこのように聴いたことがなかった。日本の雨は違うなと、感じ始めていた。

好奇心が旺盛だった私は、外で新しい音を聴くと、すぐ家を出て確かめる癖があった。ある朝、ちょうど学校へ行く準備していた時に、道から妙な音が聞こえてきた。慌ててカメラを手にして飛び出した。細長い棒をたくさん積んだ軽トラックが家の前をゆっくりと通っていく。「〜たーけやーあ、さおだけーえ」と長く母音を延ばしながら、延々と唱え続ける。

私はしばらく後を追ったが、お客はほとんど買いに来ない。それでも、車からは竿竹売りの声が流れ続けていた。私にとっては珍しい風景と音だったので、写真を何枚かぱちぱちと撮った。

私は当時留学していた早稲田大学まではよく歩いて通ったので、普段なら聞き逃すだろう数多くの珍しい音達に出会うことができた。神田川に沿ってしばらく行くと、山手線のガードへ出る。鉄のガードを通る電車の音が川の音を完全にかき消してしまう。ガードをぐぐると商店街のざわめきが続くが、そこを通り過ぎると幾分静まり返る。明治通りを突き抜けると都電の線路の脇に出る。「チンチン電車」の名前通り、「チンチン」鳴らしながら、ガタガタと車両が通っていく。

さらに歩くと、江戸時代に徳川御三家（尾張徳川家）の拝領地となり、その後、初代清水家の江戸下屋敷が置かれていた甘泉園という公園がある。茶道に適した湧き水で有名である。その湧き水の、ひそやかな音を聴いてから大学の裏門をくぐったのである。

私は来日して生まれて初めて体験する音とたくさん出会った。すべては文字通り「初耳」だった。その音たちは今でもはっきりと私の記憶の中で鳴り続けている。

5　耳で旅する――「音」は文化の神髄

私たちは過去の旅の体験をどのように思い浮かべるだろうか。見物、見学した風景を思い出すのか、それとも旅先で聞いた音を思い出すのか。私は大体音の方を先に思い出す。カメラの代わりに録音機を持ち歩くことが多い。音の存在は強く、記憶の中からなかなか消えない。視覚的なイメージが薄れても、その昔聞いた「声」と「響き」は非常に鮮明に残る。

例えば、私の生まれ育った場所は、小鳥やコヨーテ、水や風など、豊かな自然な音に恵まれていた米国テキサス州の牧場だった。父は牛肉用のアンガス牛を50頭ほど飼っていた。子供ながらえさの当番をするのが私の仕事だった。寒い冬の夜明け前、納屋の近くに集まってえさを待っている牛がモウモウと鳴く。「お腹がすいたぞ～」と、優しい声は朝の牧場に響き渡り、私の目覚まし時計となった。今でもその鳴き声が聞こえてくる。

大人になってアジアを旅するようになると、自国に存在しないさまざまな珍しい音と出会うようになる。テキサスの田舎は比較的静かだが、アジア、特に東南アジアの町は活気に溢れ、それなりの音も伴う。例えば、タイの首都バンコクの有名な野外市場、チャトゥチャクでの音には確固たる存在感があった。買い物客のにぎわいと物売りたちの張り合う声、それにペット売り場で鳴きやまないエキゾチックな南国鳥のキーキーとする声など…。全体的にやかましいけれど、生命力に満ちている。インドの音はもっと凄まじい。物売りたちは、自分の商品を売り付けるため声を武器にして客を攻める。道端の音も過激。あたかも自分の存在を強調しているかのように、溢れている車が絶えずクラクションを鳴らす。至る所、安っぽいスピーカーからインドのポップソングやインド映画のサウンドトラックのBGMがガンガン流される。音の地獄かと思うと、急に天使のような声を持つ子供が街角で歌っているのが聞こえたりする。あるいはインド音楽の演奏会に出かけてみると、この世ではないような崇高な音楽と声を体験することができる。インドほど音の世界が極端である所はないと思う。

文化は音を通して伝わってくるものである。庶民の日常生活から発する音や、彼らが好むポピュラー音楽から、エリートたちにとって最も威厳のある伝統音楽まで、国によってユニークな音の存在がある。また、その文化の神髄をうかがい知るのに音を見逃す、いや聞き逃すことはできない。文字どおり、音に文化の「本音」が潜んでいる。

6　邦楽との出会い――命のささやきのように聞こえた尺八

音に表れる文化の究極の姿は、その国の民族音楽である。日本の伝統音楽は声が主体だが、古来の素晴らしい管・絃・打楽器もある。日本の声と楽器の特徴は、端的にいえあば優れた「音色」を醸し出すところにある。邦楽で用いられる音色の特徴や性格がわかれば、邦楽は遥かに身近で、面白くなる。

既に少し触れたが、人間にとって音は特別な精神的（霊的）なパワーを持つものだと思う。古今東西、音は魂を高揚する役割を果たして来た。古代ギリシアでは、音楽は秘儀参入の大切な手段であった。また、日本の声明に見られるように仏教でも声と音が多くの宗教儀式で活用されて来た。江戸時代の尺八吹きの僧侶、虚無僧たちも、音を介して悟りの境地に導かれると、ひたすら信じていた。

旅先で聞く音を通して、その文化の神髄をうかがい知ることができる。最初は、東京のごく普通で、何気ない町の音に興味津々だったが、日本音楽の生演奏を初めて聴いたとき、一層興味がわいてきて、計り知れない感銘を受けた。日本音楽は日本にしかない音のエッセンスが凝縮され、最高のところまで研ぎ澄まされた、美的なものだと感じた。なるほど、「邦楽」は文字通り、邦《くに》の音楽だと思った。しかも、演奏の高い技術レベルと優れた芸術性に驚いた。

初めて聴いた邦楽は故・山口五郎先生の尺八の演奏だった。それまでに尺八を何回もレコードで聴いていたものの、生で聴いたことがなかった。録音と違って、生演奏で伝わってくる音は、より細かい音色の変化と奏者の熱を感じ取ることができる。私は山口先生の音に抑え難い喜びを感じ、聞きほれた。

幸いなことに来日して間も無く山口先生に尺八を習うことができた。その当時の稽古風景と体験を

©Jun Takagi

『尺八オデッセイ――天の音色に魅せられて』で色々なエピソードを詳しく書いたが、とにかく深く感動したのは、先生の息の使い方だった。本来、息は人間にとって欠かせないものであり、命の源でもある。体の内と外の世界とをつなぐ媒体でもある。この息を竹の管を通して、音に変化させるのは大変な技だと思った。尺八は、命そのもののささやきのように聞こえた。

ほかにも、日本では息を使う笛類がたくさんある。雅楽の龍笛《りゅうてき》、篳篥《ひちりき》などはその例である。邦楽の長唄や町のお祭りに使う篠笛もある。笛にはそれぞれ定まった吹き方、奏法と、厳しい音楽的な約束事がある。例えば、雅楽と長唄は常にほかの楽器と一緒に合奏するので、個人の表現よりも全体の音楽をまず考えなければならない。一方、尺八は、昔の虚無僧のようにソロ楽器として使われることが多い。基本の吹き方さえマスターすれば、結構自由に吹ける。また、自分の調子に合わせ、喜怒哀楽も表現しやすい。

もちろん、尺八は箏と三味線と合わせる、いわゆる「三曲」合奏にも参加することもできる。現代音楽

（ジャズ、ポップスなども含めて）にもよく使われているから、尺八の表現力と音楽的な可能性は大変広い。私は日本の笛の中で、最も自由な楽器だと思う。

しかし、習い始めた当初はここまで考える余裕がなかった。音を出すのに、ただただ苦労していた。山口先生は私に対して親切に尺八の基本を教え、見守ってくれた。

7　5つの穴から多くの「音色」

尺八の手孔の数はわずか5個である（20世紀になってから手孔7個と9個尺八も開発されたが、決して主流ではない）。しかし、この数少ない孔から多くの表現ができる。考えてみれば、尺八は一本の竹管であり、極めて簡単な材料で作られているにも関わらず、大きな音の世界を醸し出す楽器である。

日本音楽は文化や社会構成と同様に、非常に複雑で多面的であり、邦楽のエッセンスを一言で説明するなら、「音色」にあると思う。なぜなら、すべての和楽器が優れた音色を出せるように作られているためである。また、それぞれの楽器の奏法も、その音色を最大限に生かすように行われる。和楽器の面白みは、まさに音そのものの存在にある。

例えば尺八では、独特な音色を生かすさまざまな奏法がある。まず「ムライキ」。最も尺八らしくて迫力のある音色の一つで、ひじょうに大きく勢いのある空気を楽器の中に吹き込むと、半分が尺八の音、半分が風のような効果音となる。この音は不気味なムードを出すために、時代劇の立ち回りシーンでよく使われる。「カザイキ」（風息）というテクニックもある。「ムライキ」ほどの大きな破裂音ではないが、息の混ざった音を長くのばす。いずれの奏法も、秩序と混沌を同時に使いこなせるような微妙なバ

©Jun Takagi

ランス感覚も要求される。そのほかにも、代表的な尺八奏法として「コロコロ」と「カラカラ」がある。両方とも指によるトレモロ（震音）だ。「コロコロ」は、鳥の羽ばたきなどを表現する、多少こもり気味の音色であるのに対して、「カラカラ」は乾いた風のように、もっとドライな感じを与える。また、尺八を吹きながら首を振ることによって、いろいろと面白い効果音が出せる。

これらの奏法を総じて「ユリ」（揺り＝ヴィブラート）と呼ぶのだが、それにはたくさんの種類がある。全部をマスターするには、「首振り3年」といわれるように結構時間がかかる。首を横に振って音を揺らす「ヨコユリ」（横揺り）、縦に振って音を揺らす「タテユリ」（縦揺り）、息を使った「イキユリ」（息揺り）、実際に尺八を動かす「タケユリ」（竹揺り）もある。

わずか一本の竹で、このように数多くの音響効果があるのは、世界的にも例がないと思う。尺八は、竹の外側を斜めに削って吹き口を作ってあるが、実は世界中の縦笛は、南米の「ケーナ」のように内側を削って吹き口を作るのが普通で、外側を削るのは尺八のみである。中国で生まれた尺八だが、今は日本に残るだけである。こうした尺八独特の構造と太さが、独特の音色を生むことになったのではないだろうか。

尺八は西洋のフルートのように、曲中にほかの調子に変えたり、半音を含めた早いフレーズを器用に吹いたりすることは難しいが、その代わりに奥深い音色の世界を醸し出すことができる。尺八は、音色で勝負するといっても過言ではない。

8 わずか3本の弦で微妙な音が――三味線は「サワリ」が命

尺八と同様、三味線もさまざまな音色を作れる楽器である。たった3本の弦によって微妙な音のニュアンスを見事に演じるという意味で、三味線は和楽器の中で最も優れた楽器かもしれない。今も昔も、三味線の人気は衰えていない。

まず、三味線の歴史的な背景に少し触れてみたいと思う。三味線が日本本島に入ってきたのはそれほど昔ではない。1562年頃に大阪市の港町、堺に入ってきたというのが通説である。その原型は琉球で、蛇の皮を利用した「サンシン」という楽器だった。そのはるか前に、中国から海を渡って琉球へもたらされた。大陸でも蛇皮を利用し、「サンシェン」という楽器だった。さらに西の方、ペルシャや中近東にも三味線の親類（先祖）が見られる。結局、尺八のように三味線もシルク・ロードを経て日本に渡り、そして定着した。

しかし、大陸の三弦系統の楽器は三味線の原型といっても、材質はだいぶ異なる。特にペルシャとインドでは鉄の糸を使用することもあった。これに対して絹の弦を使う日本の三味線の音色と全く違うの

三味線：川村京子©Jun Takagi

である。
三味線は一度日本に入ってから、瞬く間に広がった。それより以前、中世に琵琶という楽器がはやっていたので、三味線は初め琵琶法師によって奏され、琵琶の役割（歌と語りの伴奏楽器として）を担うようになった。しかし、三味線は琵琶より軽く、扱いやすいので一般に広がり、大変な人気を博した。琵琶曲だけではなく、地唄や小唄のような座敷芸、長唄、清元、常磐津等の歌舞伎関係の演劇音楽としてもてはやされた。
三味線は歌を愛する江戸時代の日本人にとって、最も身近な、愛される楽器となったのである。三味線の奏法や音響効果を形容する言葉はいくつかあるが、言葉だけでは実際の音を理解しづらいかもしれない。もし、三味線の音を耳にすることがあれば、皆さん、注意して聴いてみてほしい。
三味線の一番重要な音響効果は、「サワリ」である。これは三味線の命だといってよいくらい大切なものである。サワリは糸の振動によって生まれるビーンという、しびれたような複雑な倍音の入っている噪音（そうおん）である。三味線の種類によってサワリの付け方が違ってくるが、サワリがいかにうまく付くか、三味線奏者たちが注意を払うところである。

サワリは日本の三味線には欠かせないものであるが、琉球や中国の三味線の親類には存在しない。サワリはもともとは琵琶にあったもので、琵琶法師が新しく日本に入って来た三味線を工夫して、琵琶のサワリをまねしたのだという。

9　無駄を省いた質素な楽器——深い表現を生む日本音楽の原点

上記の通り、サワリは三味線と琵琶にとって「命」といっていいくらい大事な効果音である。しかし、サワリは日本だけのものではない。他のアジアの楽器にも古くから似たような効果音が見られる。例えば、インドの代表的弦楽器、シタールにもサワリは欠かせないものである。シタールは普通の弦楽器のように弦を弾いて音を出すが、サワリは弦と胴体の間に張ってある数本の専用の弦が共鳴することによって生じる。直接手で触れないサワリの弦から、まことに絶妙な、大変複雑な倍音が出る。しかも、三味線や琵琶の絹の弦と違って、シタールの弦は鉄でできているのでサワリの音がさらに効果的になる。

三味線といっても、種類は一つだけではない。日本人は海外から伝来するものに対して細かく分類して、それぞれの流儀に分ける傾向があるが、三味線も例外ではない。三味線は主に細棹（民謡や長唄用）・中棹（地唄や常磐津用）・太棹（義太夫や津軽三味線用）の3種類に分けられるが、やはりどれをとってもサワリの存在は重要である。奏者は良いサワリを付けるのにいろいろと工夫する。例えば、調弦をするときに多少ピッチ（音の高さ）が外れても、サワリの良く響く高さにする。

三味線：川村京子©Jun Takagi

一方、箏《こと》にはサワリがないものの、さまざまな奏法によって音色の世界が幅広く繰り広げられる。例えば、奏者は箏に向かって右手で弦を弾いて音を出すのだが、左手もやむにやまれずよく働く。その役割は音色を作り出すことである。つまり、右手で弾いた弦を左手で押したり（押し手）、のばしたり（引き手）、揺らしたり（ユリ色）するなどの微妙な操作で残りの音を十分生かす。ちなみに、ピアノなどでは一度叩いた音をすぐ消すか、しばらく響かせるか、2つの選択しかない。それに比べれば、箏の残音は完全に消えるまでにいろいろと楽しめることになる。

日本の楽器は、西洋のクラシック楽器より構造的に簡単にできている。これは大きな特徴になる。洋楽器に比べれば箏、三味線、尺八などの音域や音量は小さく、または和音を出す仕組みとなっていない。一見、貧弱に見えるかもしれないが、和楽器は大変豊かな音色の世界を持っている。言い換えれば、少ない材料で最大の効果をもたらす。一切の無駄が省かれ、質素なものであるからこそ、深い表現力が生まれる。それは日本の音楽の原点だと思う。

10　おわりに　人間は大自然の音によって組み立てられた「歌」である

私たちは普段日常的な音に対して、どれほど注意して聞いているだろうか。実は、身の周りにはすばらしい音がたくさん存在している。外界に注意を向けるとき、まず視覚が働くので、音の世界の豊かさと多様性を無視しがちとなるが、どのようにしたら、周りの音にもっと意識を高めることができるかが、我々の課題だと思う。比較的静かな場所へ行って、数え切れないほどの自然界の不思議な音や、その自然にこたえて人間が立てる音にも耳を澄ませ、聴き分けることが必要だ。インパクトの強い電気的な仕掛けや、やかましい音は、こういう自然の霊妙な音を聴き分けるのに必要な感性を養ってくれない。

旅をするときも、新しい音を発見することがある。特に海外へ行くと、日本で聞き慣れている音と違って、珍しい音にたくさん出合う。耳になじまない音を聞くと、いろいろと考えるきっかけにもなる。例えば、日本のみに存在する音は何か、また、普遍性のある音は何か…と。それぞれの国ごとに音に対するアプローチや考え方が違うためで、音を通して文化と民族性の理解につながる。

日本の楽器は音色、つまりほかの音と区別される、その音固有の独特なエッセンスをとても大切にする。楽器の構造も奏法も、優れた音色を出せるように工夫されている。また、和楽器は自然界と深いつながりを持つ。例えば、尺八のような楽器は、われわれと自然の音との、生き生きと、活発なつながりをもたらしてくれる。ムライキとタマネのようなテクニックは、自然界の颪、または鳥の鳴き声などに由来して生まれたものだ。箏も、擬音効果のテクニックをよく使う。例えば、擦り爪である。ささやくように指を滑らせて、松の葉を渡る風の音を描写する。奏者（または聴く人）が、自然の中で実際にこういう音を体験したことがなかったら、この根拠には気づくことがなかっただろう。その響きの豊かな味わいも、奏者自身が心の中で、それにふさわしい豊かなイメージを維持していなければ、伝わってくることはない。

世の中には音が溢れている。万物の存在は音によって証明されている、といっても過言ではない。15世紀のスイス人の医師、形而上学者でもあるパラケルススは、自然の領域を文字にたとえて、「人間はこれらの文字によって組み立てられた『言葉』である」と主張している。同様に、「音」で言い換えられる。自然の持つ一つひとつの分野が音にたとえられるなら、人間は音によって組み立てられた一つの「歌」に違いないだろう。

3 講談師という人生のプロデュース

田辺一邑

◉田辺一邑（たなべ・いちゆう）

浜松市出身。横浜市立大学卒業後10年以上の会社勤めを経て1997年8月田辺一鶴に入門、講談師となる。2009年4月真打昇進。

「山葉寅楠（ヤマハ創始者）」「井伊直虎」「田畑政治（NHK大河ドラマいだてん）」など故郷浜松を中心に各地の偉人を新作講談に仕立て好評を得ている。

寄席出演の他、新聞等コラム執筆、はとバス・永谷散歩ラリーなど各種歴史ツアーガイド、ラジオ番組ナレーション、オーケストラとの共演、BS朝日歴史番組出演、校歌作詞など多方面で活躍中。

2010年より浜松市やらまいか大使。

2016年浜松市芸術文化奨励賞浜松ゆかりの芸術家受賞。

はじめに

この原稿を書いている元号が平成から令和に代わる刹那、今を時めく神田松之丞さんの神田伯山《はくざん》襲名のニュースが流れてきました。彼のおかげで今講談は長い長い低迷の時期を脱し、いよいよブーム到来かと言われています。果たして本当にそうなりえるのか、神のみぞ知るところではありますが…

講談師はフリーランスの仕事です。ですから自分で自分のプロデュース並びにマネジメントをいたします。これまで自分がやってきた仕事を振り返りながら講談という芸能の可能性、自分自身の今後の展望を考えてみたいと思います。

講談とは

まずは「講談」がどういうものかを知らなければお話になりませんから、おおまかに説明いたしましょう。

講談とは落語と並ぶ寄席演芸の一つでお客の前で物語を語る一人芸です。古くは「講釈《こうしゃく》」とも呼ばれておりました。本来の意味は学術的なことをわかり易く解説することで、例えばお経や源氏物語、論語、はたまた医学などを講釈するといった具合です。それが現在のように演芸のジャンルを指すようになったのはだいたい江戸時代中期、元禄の頃からだと言われております。その後江戸時代後期になり「講釈

写真1　一邑　高座

場」が盛んになりますと、ほぼ現在のような話芸としての意味で使われ、それとともにこれを読む者を「講釈師」と唱えるようになったと申します。それまでは「太平記読《たいへいきよみ》」などと称されておりました。講釈から講談になったのは明治以後、ことに明治十七年、講談を速記して活字に起こす、「講談速記」ができますと、新聞・雑誌こぞって紙面に掲載するようになり隆盛を極めました。しかしながら皮肉にもマスコミに掲載されることによって講釈場に足を運ぶものが減り、段々と衰えていったと申します。

そのスタイルは、着物を着て、落語と同様に設えた「高座《こうざ》」の上に「釈台《しゃくだい》」と呼ばれる机を置き、「張り扇」を使ってこれを叩いてリズムを取りながら演じます。故に講談は話芸でありながら多分にリズミカルで、現代のラップのような一面を持っています。もともとは釈台の上に本を置いて読んでおりましたので、無本で演じるようになった今日でも講談は一席「読む」と申します。

「講釈師見てきたような嘘をつき」という古川柳がありますが、演じる内容は例えば「太閤記《たいこうき》」（豊臣秀吉の伝記）、「赤穂義士伝《あこうぎしでん》」（歌舞伎では「忠臣蔵」と呼ばれる）など歴史上の人物や事件についてフィクションを交えて面白く脚色したもので、言ってみれば現代におけるＮＨＫ大河ドラマのような、一話完結ではなく連続で語っていくものが主流です。古くは「太平記」や姉川・川中島などの合戦の様子、「軍記」を読んでいました。現在でも入門して初めて稽古いたしますのは「三方ヶ原軍記」で、講談という話芸の基本は「修羅場《しゅらば》」と呼ばれる軍記を語る独特の調子にあります。また、いわゆる５Ｗ１Ｈ（いつどこで誰が何をどうした）がはっきりしていることも特徴の一つで、これは「天下の御記録読《ごきろくよみ》」と自称したように、報道機関がない時代にその代わりの役割を担っていた側面があったからです。

前述したように講談が最も盛んだったのは明治の中頃と言われ、明治二十四、五年の寄席の数八十余、講釈師は八百人いたそうです。それが大正十二年には八十八人、寄席はわずかに十五にまで減少、さらに太平洋戦争の空襲で寄席がほとんど焼けてしまい激減、昭和四十三年（１９６８）一龍斎貞鳳《いちりゅうさいていほう》先生が「講談師ただいま24人」という本を出されています。平成二十七年（２０１５）の時点で七十四人、現在は松之丞効果でこれより増えてはいますがまだ百人に満たない状況です。高座でよく「イリオモテヤマネコと同じくらいの絶滅危惧種です」と言っていますが、イリオモテヤマネコは百頭ほどいるようですので講談師の方が少ないですね。さらに現在では女性が半数以上を占めるようになりました。平成二年（１９９０）「本牧亭」という講談定席がバブル崩壊のあおりを受けて閉場し、以後は永谷商事（株）という不動産会社が経営する「お江戸日本橋亭」「お江戸上野広小路亭」「お江戸両国亭」などの演芸場を借りて毎月の興行を行っています。

まあざっとこんな感じですが、おわかりいただけたでしょうか？　百聞は一見に如かず、本当は講談の席に来て聴いていただくのが一番手っ取り早いのですが…

講談界のシステム

では、講談師になるにはどうすればいいのか？　例えばミュージシャンやタレントさんのように独学でも売れさえすればなれるかというとそうはいきません。講談師になるにはすでに真打《しんうち》となっている講談師に弟子入りしなくてはならないのです。そうでない方はたとえどんなに講談が上手くても講談師とは名乗れません。法律で定められているわけではありませんが長い間の業界の決まりがあります。入門を認められればその先生が亡くならない限り生涯の師匠となります。通常講談師は「先生」と呼ばれますが、自分が入門した先生だけは「師匠」と呼びます。ここから修業が始まります。

まずは「見習い」として、三ヶ月から半年、寄席に通って先輩の前座《ぜんざ》さんの仕事を文字通り見て覚えます。どんな仕事かと申しますと…、楽屋口の戸が開くと「おはようございます！」素早く走り寄り、脱いだ履物《はきもの》を下駄箱にしまい、鞄《かばん》を持って楽屋へ、座ればサッと好みの濃さに淹れたお茶を出す。鞄から着物の包みを取り出し着替えを手伝い、高座に上がるときは「ご苦労様です」「お願いいたします」下りれば「お疲れ様でございました」手をついて挨拶をし、脱いだ着物を元通り綺麗に素早くたたんで鞄に詰め、帰る時には、下駄箱から履物を出して揃え、靴べラを差し出す。靴を履いたら楽屋口の戸を開け、「お疲れさまでした」見えなくなるまでお見送りをする。ざっとこんな具合です。マニュアルなどありません。何故ないか、着物のたたみ方、お茶の好み一つとってもそれぞれの先生によって異なるからです。それをすべて覚えなくてはなりません。終演後の打ち上げ会場でもボーっとしてはいられません。つまみのオーダーから始まって、料理をとりわけ、先輩方のグラスの空き具合に目を配り、残り物はすべて平らげ、頃合いを見計らってお金を預かりお勘定まで、やるべきことは山のようにあります。しかも見習い期間は無給です。

なんとか仕事が覚えられ、「使いものになるな」と見込まれれば「前座」になることができます。寄席の世界では前座になりさえすれば必ず高座にあがって演じることができます。これがお芝居などでは、端役でもオーディションに合格しなければ出演できないでしょうから、そういう点ではお得と言えるかもしれません。しかしながら前座の本分は下働き、忖度とフットワークが求められ、明確な序列のもと忍耐が強いられます。今風に言えばかなりブラックです。雇用されるわけではありませんからもちろん決まった給料も保険もなく、しくじれば厳しく叱責され最悪の場合破門《はもん》（クビ）となります。これが三年から五年、耐えきれず辞めていく者も多くいます。給料はありませんが、それぞれの席でわずかながらも報酬がもらえます。お正月にはお年玉も貰えます。仕事ができる前座ほどあちこちから頼まれ収入も増え高座に上がる機会も多くなるというわけです。寄席芸人がどこに行っても融通が利くのは、全員がこの前座という修業を経てきているからだと言えます。

辛く厳しい前座時代を三、四年務め、そろそろいいんじゃないかと協会の理事会で決まれば「二ツ《ふたつ》目《め》」に昇進し、下働きから解放されます。しかし喜んでばかりはいられません。これまでは無条件に出演できていた定席にも顔付け（キャスティング）されなければ出られなくなり、前座として頼まれていた他の会からもお呼びがかからなくなるわけですから。自分自身で講談ができる場所を見つけ、なるたけ多くの人に自分のことを知ってもらわなければなりません。畢竟前座時代に幅広くいろんな芸人の手伝いをしていれば、それだけ人脈も増えていますから仕事を頼まれる確率が高くなるわけです。寄席芸人の場合ほとんどがセルフプロデュースで、プロダクションに入っている人は稀です。ですから仕事を取ってくるのも、ギャラの交渉も広告宣伝も全部自分でやることになります。昨今はＳＮＳが普及しお金をかけなくても告知・宣伝ができるようになりずいぶん便利になりました。二ツ目になれば自分の勉強会も開くことができますから、そういう機会を利用して持ちネタや自分の贔屓客を増やしていくことが重要です。一口に勉強会を開くと言っても、会場の手配から演目やゲストの選定、チラシの作成、集客などほぼすべてを自分で取り仕切ってやることになりますので、これもまた勉強の一つとなります。また、司会・歴史散歩やバスのガイド・講談教室・執筆など仕事の幅も広がり、新作講談も自由に作れるようになります。二ツ目時代がいちばんのびのびやれる時かもしれません。ただ、食べていくのは難しいです。

　こうして芸の研鑽を重ねること十年あまり、推薦され理事会で了承されればいよいよ「真打」昇進となります。大変うれしい事ですがこれがまた大変なのです。なんといってもお金がかかる！　寄席の世界では真打昇進時、ホテルなどで結婚披露宴のようなパーティを開くのが慣例となっており、当然料金も結婚披露宴並に数百万かかります。他にも三点セットと言って、扇子・手拭い・口上書の誂え、引出物、司会・余興などの御礼など十万単位でお金が出ていきます。ご祝儀でペイできればラッキーですが、保証はされていません。さらに自分がトリを取って真打披露興行をするのですが、これを全日大入りにしなくてはならないというミッションが課せられます。これまで培った人脈を総動員し、あらゆるつてをたどって集客に奔走します。この関門をくぐり抜けて初めて一人前の真打と認められるのです。とはいえ真打になったからといって仕事が降ってくるわけではありません。一回の仕事の単価は上がりますが、頻度はかえって少なくなってしまうことも。マスコミに取り上げられよほど売れない限り、その後も一生セルフプロデュースと芸の精進は続き、そこに今一つ後進の育成という使命が加わります。真打になると弟子を取ることができるようになります。後に続く者がいなければその世界は衰退してしまいます。弟子を育てることが講談界の活性化につながるのです。

いかがですか？　これが講談界のシステムです。一日でも早く入った者が目上という序列は生涯続き、師匠の言うことは絶対、トップの鶴の一声で何事も決するという、封建的な体質であることは認めざるを得ません。

講談師になった経緯

私こと「田辺一邑《たなべいちゆう》」が講談界に入りましたのは、平成九年（1997）八月のことでございました。当時既に三十六歳、遅い入門です。その二年前までは某航空会社の子会社でコンピューターのシステム開発をしておりました。別段、講談をやりたいから退職したわけではありません。バブルの絶頂期で残業も多く、心身ともに疲れ果てて会社を辞めたのでした。当時は失業保険の給付が今よりも手厚く、それをいただきながら次の仕事を探していました。そんな折たまたま新聞に載っていたのが講談ご招待の

写真2　真打披露パーティ　師匠田辺一鶴と

記事、往復はがきで応募するとあたるというよくあるものです。独り暮らしで閑でしたから、何の気なしに応募したら、当たりました！　これが私の講談初体験です。それまでは観たことも聞いたこともありませんでした。お江戸日本橋亭に出かけますと、入れ代わり立ち代わり中老年の男女が着物で出てきて、三十分ぐらいずついろんなお話をしていきます。きっと皆様方は今こうして講談師になっているからにはその時「これが私の天職だわ！」という感動があったのだろうと思われることでしょう。少しもそんなことはなく、おこがましくも「これくらいなら私にもできるんじゃないか」と思ってしまったのでした。着物も好きでしたし…。そこで早速図書館に行き（当時はインターネットもスマホもありません）講談師になる方法を探しましたがどこにも出ていません。なんせイリオモテヤマネコですからね。代わりに見つけたのが「落語家になるには」というもので、さして違いはないだろうとこれを読みますと、弟子入りをしなくてはいけないということがわかりました。それでは入門する師匠を決めようと、なるたけ講談会に出かけてあらゆる先生の講談を聞き比べました。ある先生にターゲットを定めたのですが、なかなか「弟子にしてください」とは言い出せません。今日こそは今日こそはと思いつつ何度も断念して、遂にある日意を決して「入門させてください！」清水の舞台から飛び降りるようなつもりで言ったのですが…残念ながら断られてしまいました。それでも「他の先生なら紹介してあげるよ」と言われて入門したのが「田辺一鶴《たなべいっかく》」だったのです。弟子入りというと、住み込みで身の回りの世話をしてと、いわゆる内弟子を思い浮かべる方が多いでしょうが、二十一世紀のきょう日、住宅事情もあいまってまずありません。通いです。その頻度や手伝いの内容も師匠によってまちまちで、毎日通わなければならない人もいればそうでない人もいます。私の場合は主に入門当時師匠がやっていた古本屋、イッカク書店の棚整理と古書市に出す本の結束をしました。一鶴は放任主義、一見楽そうですが、小言も言わないかわりに何も教えてくれませんから自分でなんとかするしかない。芸も前座仕事も試行錯誤でしたが私の性には合っていたようで、一鶴の弟子になってよかったと思っています。「田辺一鶴」という人間はとても破天荒な人で時には他人様に迷惑をかけたりすることもあったのですが、どんな人の前でもエラそうな態度をとらない、他人の悪口を決して言わない、いくつになっても芸の向上を目指して前向きに突き進んで行く、そんな姿を尊敬していました。残念ながら私が真打になった平成二十一年（2009）に亡くなってしまったのですが…。この先もう一鶴のような芸人は現れないでしょう。

講談師の仕事

さて、この本はアートプロデュースがテーマですから、芸の修練や技術についてあれこれ書くのはやめにして、ここからは仕事について述べることにいたしましょう。私自身講談師になって会社勤めと大きく違うと痛感したのは、「仕事をする日が決まっていない」ということでした。会社員時代は基本的に月曜から金曜一日七時間と決まっていた労働時間が、講談師になってみると、基本的にカレンダーは真っ白、そこにぽつんぽつんと仕事が埋まっていきます。令和元年のゴールデンウィークは十連休だと騒がれていましたが、こっちは毎日が連休のようなもの、ですからよほどのことがない限り依頼された仕事は断らずにやっています。本来なら講談だけを演って食べていけることが理想なのですが、なかなかそうは参りません。これまで本道の寄席や講談会以外にも様々な仕事をしてまいりました。いくつかピックアップしてお話いたしたいと存じます。

〈歴史ガイド〉

講談は歴史上の人物を演じます。予備知識として時代背景や地理的なことを知らなければ物語に臨場感や幅が出ません。必然的に学者ほどではありませんが歴史について詳しくなります。この知識を利用して、「はとバス」や「永谷散歩ラリー」など史跡巡りのガイドという仕事をするわけです。「はとバス」での講談師が案内するコースは昭和三十年代から始まっています。私も二ツ目の頃よくやりましたが、その頃は忠臣蔵の史跡を巡る通年の「花のお江戸コース」と夏限定「怪談コース」というものでした。結構体力勝負の仕事で、朝九時頃東京駅を出発して夕方四時半頃東京駅に帰ってくる、ほぼ一日中昼食時以外は立ちっぱなし、車中でもずっと前に立って話をするのですが、最悪なのは渋滞に巻き込まれた時、通常の倍近くの時間がかかり、その間ずっと話をつないでいかなくてはならず始めのうちはかなり苦労しました。また、その頃は「定期」という路線バスと同じ扱いで、一人でもお客様がいたら出発しなくてはなりません。ある日のお客様は日本語が全く分からない韓国人の三人組。「さあ困った、どうしよう」そのうちのお一人は少し英語がわかるということで、仕方なく私が片言の英語でその方にお話しし、その方が韓国語で他の二人に伝えるという珍妙なツアーになりました。今から思えば笑い話になりますがその時は泣きそうでした。バスツアーではとにかくなんでもいいから話をつなぐという鍛錬になりました。

散歩の場合は下見が重要です。道を間違えたら大変ですし、予定の立ち寄り場所以外にも思わぬいいスポットが見つかることもあります。過去に訪れたことがある場所でも、めまぐるしく変化する東京では、再開発で全く様子が変わっていたり、はては目当ての物自体撤去されていることも…。今やグーグルでリアルに見られる時代ですが見ると行くとでは大違いなのです。例を挙げてみますと…梅見月の小石川後楽園から神楽坂をめぐるコース。地図を片手に参りますと、期間限定小石川後楽園文化財指定六十周年記念特別公開――この期間いつもは閉まっている東門も開門する――では東門から入ってこの木像展も見るようにしよう――「ミツクニ」なんて名前の梅がある。こんなところに江戸城の石垣が移されているんだ。とまあこんな具合です。帰ってからがネットの出番。気になったことを片っ端から調べていき、それぞれの場所で何を話すかを決めていきます。そこは講釈師ですから事実ばかりじゃ面白くない、見てきたような嘘も混ぜるのがミソ。お土産は五十番の肉まんとペコちゃん焼きがおススメ、花より団子の情報も欠かせません。何のイベントもそうでしょうが念入りな下準備に支えられているのです。

〈講演会〉

企業や学校、ロータリークラブなどの団体が主催する講演会も大きな仕事の一つです。寄席の場合は一席だいたい三十分ですが講演の場合は持ち時間が一時間半から二時間ほどあります。大抵は講談を一席ないし二席入れながらテーマに沿ってよもやまの話をします。内容はここに書いた講談師になったいきさつなどこれまでの体験談が多いです。主催側は平素政治・経済・教育など堅苦しく難解なテーマの講演をしている場合が多く、そこに講談師を頼むということはやわらかく楽しい話、あるいは感動する話を期待しているわけですから、需要に合った供給をすることはビジネスの基本ですね。企業の創始者や地域の偉人の創作講談はこういう時に役に立ちます。依頼を受けてその会社の歴史など新作講談を作ったり、一方的に聴くばかりではなく皆で声を出すワークショップ的なプログラムを挟むこともあります。終演後に行われる懇親会に招かれる場合も多く、そこで営業努力をすれば次につながる可能性もあるでしょうが、ほとんどお酒が飲めない私は宴席が苦手で損をしています。

〈コラム執筆〉

講談師は新作講談の創作や、古典講談も自分でアレンジを加えたりしますので文章力・語彙力を備えています。また話し言葉が基本ですので文章が平易でわかりやすい。そういう点から新聞・雑誌等のコラムなどを頼まれるわけです。静岡新聞夕刊「窓辺」欄（２００９年7月～9月週1回）や中日（東京）新聞夕刊「紙つぶて」欄（２０１３年1月～6月週1回）などに執筆しました。新聞コラムの場合は曜日によって執筆者が替わりますが、顔ぶれを見ますとなんとなくそれぞれの役割のようなものがうかがえます。私の場合は週の中ほどの息抜き的な存在ですので、肩の凝らない易しい内容の文を書くように心がけました。週一回半年間というのは思った以上に大変で、出したと思ったらすぐ次の締め切りが来てしまいます。途中ネタが尽きて苦労しました。私が講談師として文章を書く上で気を付けていることは、なるたけ同じ言葉を二度使わない、同じことを言う時に違う表現を用いるということで、これには語彙

写真３　浜松交響楽団との共演

力が不可欠、意外と難しいことなのです。

〈ナレーション・語り〉

講談師は声を使いますから語りの仕事もいたします。平成二十六年（２０１４）浜松交響楽団との共演でグリーグ作曲「組曲ペール・ギュント」並びにコダーイ作曲「組曲ハーリ・ヤーノシュ」の語りを務めましたが、指揮者とアイコンタクトを取りながらオーケストラの奏でる曲の合間合間に物語を進めていくのは本当に爽快でした。二作とも語りの台本もオリジナル講談調に書き下ろしましたので、一般に売られている語り入りのＣＤとは一味も二味も違いますす。ことにハーリ・ヤーノシュは物語の資料が乏しく作るのに苦労しました。冒頭に作曲家のエピソードを枕風《まくらふう》に入れたり、ナポレオン軍と戦う場面を修羅場調にするなど講談師ならではのテクニックを生かし、自分で言うのもなんですがいい出来だと自負しています。ペール・ギュントは浜松交響楽団のホームページから聴けるようになっていますのでご興味がありましたら是非どうぞ。二年ほど前に指揮者の方から別のオーケストラと再演のお話も出たのですが、残念ながら実現しませんでした。いつかどこかで是非再演したいと思っています。

そんな矢先、令和三年、別の曲で再び浜松交響楽団との共演が決まりました。楽しみです。

〈歴史番組出演〉

平成三十年（2018）BS朝日の「歴天」という、歴史を天気から考察するというコンセプトの番組に出演しました。テーマは「源平合戦」と「忠臣蔵」。テレビの収録というのは思った以上に長丁場で2時間の番組を録るのに一日がかりでした。そのうちオンエアに使われるのはごく一部でほとんどがカットされてしまいます。いかに使われる発言をするか、日頃バラエティ番組に出ているお笑い芸人やタレントさんたちのすごさがわかる経験でした。

この他にも結婚式やイベントの司会、校歌の作詞、資料館のビデオ解説、対談などさまざまな仕事をしてまいりましたが、こうして多彩な仕事ができるのも根底に講談というしっかりした芸があってこそなのだと思っています。あなたなら講談師をどう使いますか？

寄席のプロデュース

さて、本業の講談ですが、昨今巷では一般の方が興行主となって演芸会を開催することが増えています。つまり、これを読んでいるあなたも寄席を主催できるというわけです。ここにそのノウハウを書いてみましょう。

㈠日時・会場を決める

まずはいつ・どこでやるのかを決めます。土日の方がお客は集まりますが、ホールなどを借りる場合は使用料が高くなります。会の目的や来ていただく人を考えて選定します。何百人、何千人も入るホールは演芸会には向きません。多くても二百人ぐらいまで数十人規模の小さな会場でも構いません。またホールでなくても、和室、お寺の本堂、宴会場など屋内で人が集まれる場所なら大抵のところでできます。屋外は、マイクを使っても声が拡散してしまうのと、まわりの音が聞こえてしまうので話芸には不向きです。興行は全体で二時間ぐらいが妥当ですが会場使用時間は準備や片付けなども考慮して余裕をもって確保してください。着替えや色物（マジックや太神楽など話芸以外の演芸）さんの場合は準備をしますので必ず楽屋（控室）をご用意ください。男女一緒でも構いません。

㈡構成を決める

どんなプログラムにするのか、講談だけにするのか、落語や色物もいれるのか、例えば「怪談」「赤穂義士」などテーマに沿った会にするのか、何人出てもらうのかなどを考えます。多くなれば当然出演料や交通費がかさみます。その際前座を一人入れるのをお勧めします。前座は当日の芸人さんの世話万端、会場準備の手伝いなどもしてくれ、慣れておりますので主催者にとっても重宝です。出演料は前座→二ツ目→真打と上がって行きますので前座は出演料も安く済みます。予算が少なければ一人で二席やってもらう事も可能です。また、色物の代わりに地元で活動している邦楽の方などを入れることもできます。

㈢予算を立てる

構成が決まったら、入場料や出演料をいくらにするか決めます。入場料に見込み客数を掛けたものが収入となります。そこから会場費や印刷費・交通費などの経費を差し引きますと演者に払える出演料が概算できます。集客が思い通りでなかった場合赤字になることも考えられますのである程度余裕をもって設定することが大事ですが、かといってあまり高い入場料では客が集まりませんし、低い出演料では芸人に出てもらえませんのでそのあたりの落としどころが難しいです。

㈣出演の交渉

予算が決まったら出演してもらいたい芸人に交渉します。つてがある場合はそこからコンタクトをとってもらうのがよいのですが、何もない場合、まず、トリを誰にするか決めます。主催側としてはマスコミで売れている方を頼みたいでしょうが、お忙しいのと出演料が高いのであまりおすすめしません。マスコミに出ていない方の中にもいい芸人はたくさんいます。近頃はたいがいホームページやSNS、ブログなどをやっておりますので、その問い合わせやメッセージ欄から出演依頼をいたします。その際条件も明記した方が返答しやすいです。いくらなら出演してもらえるかというのは、本当にその方次第なのでまずはダメ元、あたってくだけろ的に率直に尋ねていただければと思います。芸人さんにとって出演依頼は大変うれしい事ですからじゃけんにはいたしません。トリの芸人さんが決まれば、その方に他の演者の手配や推薦をお願いすることも可能です。演者のキャスティングのことを業界用語では顔付けと申します。いい顔が組めればもう半分は成功したようなものです。

㈤集客

出方が決まればチラシやポスターなどを作成し、集客をしますが、実はこれが一番難しいのです。せっかく寄席を企画したのにお客さんがパラパラでは演者も張り合いがありませんし、採算的にも問題です。チラシのデザインは重要な要素となります。昨今はパソコンの発達でチラシのデザインが素人にも簡単にできるようになり、また印刷料金もネットを使えば格段に安くなって便利になりました。ＤＭを発送するのも有効な手段ですがあて名書きなど大変です。最近はＳＮＳなどで発信する方法もありますが、ある程度の年齢以上に最も有効な手段は新聞に取り上げてもらうことです。新聞に掲載されるとそれがお墨付きのような役割を果たし、信頼度も増し確実に客数が伸びます。間違っても演者に集客を頼んではいけません。確実に嫌われます。自分から進んで申し出てくれる時以外はあくまでも主催者の責任です。

㈥当日の運営

まずは、会場の設営をいたします。専任スタッフのいるホールならお任せすればいいですが、そうでない場合は、高座、楽屋、テケツ（受付）、客席などを自分たちでセッティングします。高座（１・２ｍ四方高さ１ｍ位）は長机やビールケースを並べた上にベニヤ板等を乗せ緋毛氈《ひもうせん》で覆って作ったりします。座布団はお坊さんが使用するような大きめのもの、釈台（講談用の机）はたいていの講談師がマイ釈台を持っていますので、借りることが可能です。楽屋には着替えをしますので姿見《すがたみ》をご用意ください。テケツは長机を並べて作ります。釣銭を忘れないように。開演三十分前ぐらいになったら開場します。受付も主催者の大事な仕事です。

㈦支払い

楽屋にて演者に出演料を支払います。寄席芸人は当日現金払いを好みます。後日振り込みでも構いませんがその場合は事前にその旨告げてください。領収書が必要な場合は署名・捺印すればよい状態のものを作ってご提示いただけますとありがたいです。

㈧打ち上げ

無事にお開きとなり、終演後に演者と一献傾けるのも主催者の醍醐味の一つではないでしょうか。しかしながらすべての芸人が打ち上げに参加するとは限りません。その日の体調や翌日の仕事の都合もあるでしょうから無理強いは禁物です。またこれは一番大事なことですが、芸人にお金を払わせてはいけません。費用はすべて主催側が持ってください。

以上のことができればあなたも立派な席亭《せきてい》（寄席の主催者）になれます。是非実践してみてください。あ、その際には「一邑」を呼ぶことも忘れずに。

終わりに

さて、長々と他愛もないお話をしてまいりましたが、人生とは自分をプロデュースしマネジメントしていくことに他なりません。たまたま私はそれを今「講談師」という立場で行っていますが、常にこの先続けて行けるかどうかの不安にさいなまれています。ひょっとしたら将来また違った職業に就くかもしれません。実は転職するとき、今一つ考えた職業がありました。それは「僧侶」、「お坊さん」で出家は私にとって今もあこがれです。「人間万事塞翁が馬」果たして十年後は何をしていることでしょう。そしてあなたにはあなたの人生のプロデュースがあるのです。

追　記

令和二年春、新型コロナウイルスの影響で仕事はすべてキャンセル皆無となりました。フリーランスで働くことはこういう厳しい状況にもなり得るということを加筆しておきます。

【参考文献】

田辺南鶴『講談研究』（自費出版、1965年）
一龍斎貞鳳『講談師ただいま24人』（朝日新聞社、1968年）
権田保之助『娯楽業者の群：社会研究』（実業之日本社、1923年）
村上浪六『講談の歴史』（至誠堂書店、1922年）
浜松交響楽団ホームページ・ダウンロード http://hamakyou.jp/download/

4

日本人の食生活及び、日本の食文化について

上神田梅雄

⦿上神田梅雄（かみかんだ・うめお）

1953年岩手県生まれ。和食伝承師®、学校法人・新宿調理師専門学校学校長。21歳で上京し、（学）新宿調理師専門学校・夜間部へ入学、卒業と同時に故、西宮利晃氏に師事12年間の修業を積んだ後、銀座の会席料理「阿伽免」で料理長となる。その後、5企業で通算25年間、総料理長として腕を振るう。2011年、母校の校長に就任。著書に『調理師という人生を目指す君に』『人生で大切なことは全て厨房で学んだ』『四季のおもてなし料理』など。

「あなたは　食べ物で　できている」(you are what you eat)

このキャッチは、古いことわざで〝あなたという存在は　あなたが食べたそのもの自体です〟という意味だそうです。私自身、既に半世紀近くも〝調理師〟という職業に就いて働いて来ましたけれども、この表現はまさに、食事への向かい方の真理をついた表現だと思います。

２０１５年12月、〝和食：日本人の伝統的な食文化〟がユネスコ無形文化遺産に登録されました。国民として大変に喜ばしく感じる、そして誇らしくさえ思える、一般的にはとても嬉しいニュース報道でした。

しかし、日本料理の料理人という立場の私は、無条件に手放しで嬉しい、おめでとう万歳という気持ちにはなれませんでした。我が国の伝統的な食文化が、無形の世界文化遺産として、世界的に価値が認められたということでは、素直に嬉しいのですが、その一方には心配される現状があり、哀しい実態があります。

それまで当たり前だったはずの〝我が国の食生活〟が、時代の進みに伴い、生活様式の変化、物流環境の変化、家族構成の変化、などなど、洪水のように押し寄せる時代の変化があり、それに対応を常に迫まわれているという現状が有り、食生活の様が大きく激変しています。伝承されて来た〝我が国独自の素敵な食文化〟は、いまや〝絶滅危惧〟と揶揄するぐらいです。国家レベルで考え、意識して守り継承していかなければ、かなりの部分で伝統的な食文化が消滅しかねないと、大変危惧される現実が有ります。

この日本列島で生まれ、安全に生活させて貰っている国民の一人として、先の大戦後70年以上もの永い間、他の国との関係において、武力を行使しての争いごとの無い、平和な歴史を刻んで来ました。我が民族にとっては、いわゆる〝戦争の無い〟安全な暮らしが永く守られ、かつて経験したことのないことでした。日本列島という、このさほど広いとは言えない国土に、暮らしている私達国民は、武器によって無差別に〝命を脅かされる〟という危険な環境や局面に陥らなかったという、とても有り難い、大変に幸せな国民であるということを、改めて自覚し深く感謝する機会なのではないのかと思います。もたらされたこの無形文化遺産登録という〝祝・報道〟は、生命の安全と食の豊かさ、そして飽食を享受出来ている、現代を生きる我々日本人に提起された、重い命題と受け止める必要があるように思えてなりません。

世界からのニュース報道に見られるように、政情不安定な発展途上国などでは、内戦やテロ戦争によって戦災避難民となって、泣く泣く祖国を脱出せざるを得なかった多くの方々の、不安定な生活、気の毒な食糧事情を知るにつけ、人間が飽きずに織り成す愚かしい覇権争いの歴史、反省無き愚行の繰り返し、嘆かわしくもあり、哀しい限りです。

また、この地球上に繰り返し発生する自然災害の脅威、旱魃・地震・津波などに被災した人々に迫る、最初の困難は、何と言っても食糧危機です。それに伴う、病人・老人・赤ちゃん・子供たち、いわゆる〝社会的弱者〟と称される人々がつねに〝飢餓・餓死〟といった、命の危機に晒されてしまっています。

そんな地球上の一員であるはずの我々日本人は、現状どう〝食と命〟に向き合っているのか？〟というと、食料国内自給率が40％にも満たないという、国の有り方としては大変にお寒い状況です。主要先進国の中でも最も低い、ある意味では危機的数値が、だいぶ以前から出されて来ているにもかかわらず、政治の無策はもとより、我々国民の一人一人も強く危機感を抱く事無く、眼前の飽食を謳歌できればそれで良いではないか…、という態度で過ごして来ているように思います。我々日本国民が歴史上、かつて経験したことの無いほどの〝食へのバブル期〟ともいえる飽食の時代を邁進しているように思います。なんとも下品な〝成金的〟になっているにも拘らず、そのことを恥じるどころか、〝グルマーを気取って〟〝似非食通〟になって、飽食を謳歌しているという、誠に品の無い一面も有るということです。〝一億総グルメ時代〟などと、無責任に煽る報道スタンス、下品なマスコミのキャッチに踊らされ、操られているようにさえ感じます。捉え方によっては、食料事情に苦しむ多くの世界の人々を、思いやるどころか、逆さまに愚弄するかのような愚行です、思いやる心に欠ける〝自分さえ良ければ、自国さえ良ければ…〟という一人よがりな考え方が横行しています。

一日三食どころか、日に一食もままならない開発途上国の人々から見たら、経済力の有る日本人は、お金にものを言わせて、世界中から食材を買い漁って、しかも多くをムダに廃棄しているという一面が実態としてあるばかりか、「俺の金で買ったものだから　おれの勝手だろう…」というがごとく〝食い散らかし〟という側面もある醜さです。人として決してやってはならない、真に恥ずべき行為を、無自覚に厚顔無恥に繰り返しています。我々国民の一人一人が、深く考える事無く、実は加担してしまっているように感じます。これでは世界から敬愛される資格を自らは失っているように感じます。

この機会に、改めて『食と命』あるいは『命＝食＝農＆海』は、一つながりであるということを、より深く思考してみることが大切だと感じます。我が民族の食の崇高な精神性を示す、食前と食後には食卓を囲む者たちみんなで合掌しながら唱和する〝天地の恵みと　多くの人々の働きに感謝して　命のも

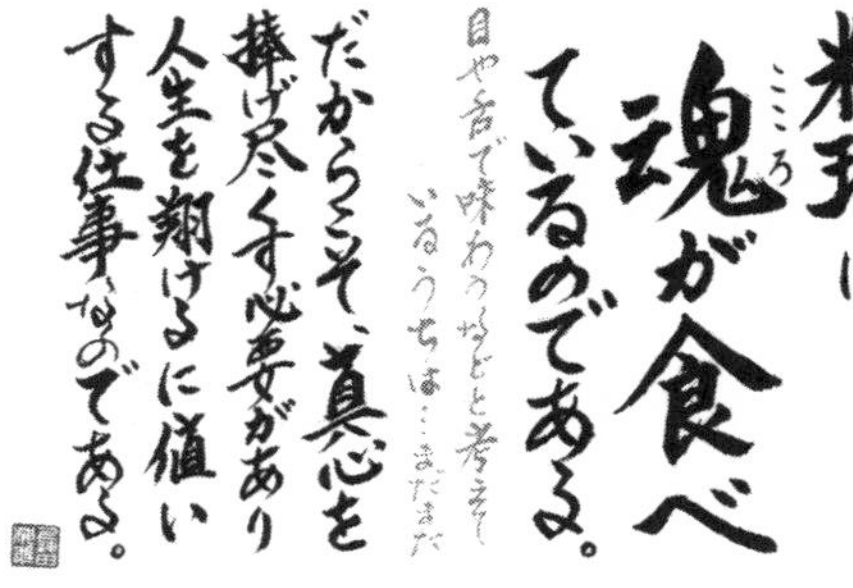
料理は魂《こころ》が食べているのである。
だからこそ、真心を捧げ尽くす必要があり人生を翔けるに値いする仕事なのである。

写真１

とを慎んで〝「いただきます」、「ご馳走さまでした」という世界にも類をみないほど美しく、麗しい食礼に象徴されるような、食への向かい方において、誇れるほどに、〝高い民度〟を保ってきたはずの美しい民族の魂は、いったい何処へ措きやって来てしまったのでしょうか…。

天与の恵みの〝食材〟を、無知の為に食べられるものまで無造作、無自覚に、いわゆる可食部を捨てています。かつてない程に、高等教育を受け、高い学歴を有しているにも拘らず、なんとも哀しい、愚かしい主婦のなんと多いことでしょう。

また、天与の食材への敬意も感謝も無く、大切にするべきところを乱雑・粗末に扱い、職業への向かい方に誇りも自覚も感じられない、志し低き調理人が沢山います。

お客様の側にも、バイキング料理という提供スタイルだからと、子供に食べ切れないほどの料理を、考えも無く皿に取らせ、食べ残しさせても心が痛まない、鈍感で親の資格の無いような情けなさ、もはや畜生による〝エサ探し〟を思わせるような、なんともさみしい親がいます。みすぼらしい情緒性が垣間見え、とても嘆かわしく、哀しく感じます。私自身の職業柄かもしれませんが、よくこういった場面に遭遇し、腹立たしくさえ思います。命の恵みをお与え下さっている、天

写真２　料理セミナー風景

（天地自然）に向かって〝ツバ〟するような行為です。これはもう〝人としてのマナーとモラル〟を大きく欠いた、大変に罪深い愚行です。命のもとである食材への向かい方、食事への向かい方が、経済的な豊かさと反比例するかのように、退廃しています。

中国の古い言葉にある『衣食足りて　礼節を知る』という訓えがありますが、国民の食事への向かい方は、食生活へのスタンスが、恥ずかしいほどにお粗末な状態になってしまっているように感じますし、間違っています、〝食への向かい方〟を正して行かなければなりません。

かつての日本人は、自然への畏敬と感謝を忘れない、とても心根の優しい民族でした。先進国を自負する西欧社会の知識層からも、その慎ましい立ち居振る舞いは大変な賛辞を貰い、高い評価をいただいて来たという、誇らしい歴史が刻まれて来て、食文化のあり方にもはっきりと現れていました。〝心の価値観〟を、最も高めて来た、誇り高き民族でした。

今日余りにも〝唯物主義的な価値観に走り過ぎているように思います。心の価値を見出さない民族は、滅びる〟と言われますが、命のもとの食への向かい方に、隠れなくその兆候が現れているように感じます。こんなことでは、日本の民度が止め処も無く落ち込んで

写真３　料理セミナー風景

行き、世界からの信用と信頼を失い、尊敬されない訳ですから、いずれ国家が沈みかねません。ユネスコ無形文化遺産登録されて嬉しいだの、我が国の伝統的食文化が認められ誇らしいなどと浮かれてなんか居られないと思います。賢明な国民なら、むしろ実態のお粗末さと、その先行きの危うさを直視し、危機感を抱くと思います。

私は、調理師を職業として生活しています。料理の分野的に言いますと〝和食〟という括りの中の職人です。この業界人としてのこだわり方で言えば、日本料理ジャンルのなかの会席料理仕立てを専門とする料理人です。46年前、生涯の師と仰ぐ、師匠に弟子入りし、爾来16年間の修業期間中、親子のような温かい愛情のなか、〝手塩〟に掛けて、優しく厳しく育て、仕込んで頂きました。師匠から〝よし、お前はもう一人前だ〟と認めてもらえるまでに、信頼を得たことは、今日の自分を支える強い柱を育むことが出来、本当に幸せなことでした。

その後は、厨房の責任者である〝総料理長〟として飲食サービス業界の５企業（現場）で、厳しいビジネス戦争のなか、飲食業界の最前線で通算25年余りのキャリアを積んで参りました。現在は、母校である新宿調理師専門学校で、学校長という立場で、調理師を目指す後進の指導と育成の先頭に立って、日々一所懸命務めているところです。

今日まで、ご縁を頂きました多くの方々と、ご恩を賜りました尊敬の先生方に、ご恩返しをする、必ず報いるという、心の構えと覚悟を持って任務に取り組んでおります。見られて恥ずかしくない〝理想の学校〟を創りたいという強い思いを持って、奮闘中でございます。母校の校長就任から、すでに10年近い歳月が経過しようとしています。〝少年老い易く　学成り難し〟の訓えの通りだと、痛感致しております。

しかし、〝さらに　ここから…〟という熱い思いで、〝老いて益々…〟という心意気で、『師生同学』の精神を持って、調理師の卵である若者たちと共に、学びを進めて参りたいと思います。

私は、学者では有りませんし、料理研究家でも有りません。日本料理の業界の一人の〝料理人〟（職人）という立場を通して感じて来た、〝食への向かい方〟〝和食文化の捉え方〟などについて、私なりの考察を延べて見たいと思います。皆様お一人お一人の、我が国の伝統的な和食文化への考察のご参考になれば喜びでございます。

その国の食文化は、その国の気候風土と歴史背景が反映されている

地球上の何処の国に暮らす人々にとりましても共通する、料理作りの捉え方・考え方は、〝身土不二〟に言い表されて来ました。その土地に暮らす人間に向けた、不易の伝承ごと、不変のメセージであり、料理作りの大原理だということです。

〝土産土法〟という四字熟語で訓える表現も、料理仕立てにあたっての考え方の原則です。自然の理

に沿って、〝その土地で採れた季節の物を、その土地に伝わる調理法で仕立てて、その土地に伝わる調味料で食する〟このことは世界に共通する考え方です。だからこそ世界各国に料理の伝統文化が存在し、国内を見てもそれぞれの地域・郷里で〝郷土料理〟が伝承されている訳です。そして、この理に適った食生活が、「医食同源」の四字熟語が表すように、健康で幸せに暮らせる秘法だということです。

近年になって巷で流行の言い回しともいえる「地産地消（ちさん　ちしょう）」という、突然のごとく流行始めたこの四字熟語は、語呂がとても似ていて、勘違いを呼びそうですが、しかしこの言葉の意味するところは、産物の流通と経済の殖産という政策上の観点から派生した熟語です。近頃では、本来の意味合いを混同して使われていますが、古来より料理仕立ての大原則を訓え伝える〝土産土法〟とは、似て非なる言葉です。後輩に当る料理人達には、このことを正しく伝えていかなければと思います。『医者の料理知らず…』という言葉が有ります。現代医療の現場は、病気治療、対処療法にばかり走りがちな医学になっているように感じますが、病気にならない健康増進の医療の大切さ、それは取りも直さず〝食事〟の大事さを強く説く言葉です。

現代社会は、どのジャンルに於いても、ついつい専門を頼ってしまいますが、枝葉抹消のことにばかりに囚われ、専門バカと言われる落とし穴に落ち入り、真理が見えなくなりがちだと思います。健康のためには、食事は、病気した後の薬と、同等いやそれ以上に大切であることを、先達の賢者は、しっかりと訓え、そして伝えて来てくれました。これは、お医者さんばかりを揶揄した教えではありません。食事は誰もが摂るものです、従って全ての人々に向けられた言葉であり、全ての人々に向けて発せられた、不易の命の言葉です。その土地でとれた産物を中心に食膳を整える、季節の旬のものを中心に食べる、そして皆で仲良く分け合って食べる、ものを好き嫌いせず全て有り難く感謝して食べる…。このことは、幸せになる為に生まれて来た、地球上の全人類に共通の食礼だと思います。

我々日本人の先祖は、もともとほとんどの者が農耕民でした。人間は集団で暮らすことを宿命付けられていて、農耕にも集団行動・集落生活、助け合いが欠かせません。その土地や地域の地質や土壌、さらには気候に適した穀物・野菜・果物・木の実などを育てて収穫した農産物、近くの海岸（浜）や河川・沼・湖から漁獲した漁海物、さらには野生の鳥獣肉や、飼育家畜などをずっと食して、暮らして来たと言えます。現代も例外的な事例を除いては、その通りだと言えると思いますし、将来に渡っても、この大原則は変わるものではありません。

さて、それでは我が国の食文化、及び影響を与えてきた歴史的要素について、具体的に考察して行きたいと思います。

まず日本列島の気候風土についてです。我が国は四方を海に囲まれた島国です。その国土は、南北に大変長く、弓なりにのびています。季節風の影響を受けてモンスーン気候のもとで温帯に属し、全体的にはとても暮らしやすい温暖な気候に恵まれています。その上、春・夏・秋・冬と、季節がはっきりと区別されるように、四季の変化に富み、夏は高温多湿な地域が多く、年間の雨量も比較的多いのが特徴です。年間の平均雨量1８００㎜ともいわれます。

国土の総面積の65％以上も占めるのが山林であり森です。降った多くの雨や雪は、いきなり河川に流れ込むだけではなく、豊富な森林の地下に保水し、栄養豊富な地下水として蓄えることになります。日本の食生活の根幹をなす「水」の循環は、この「森」を守ることによって支えられて来ました。縄文と称される時代からずっと現代まで、国土全体の65％より森の面積が小さくなったことはありません。つまり、我々の先祖は脈々と森を大切に守って、暮らしを繋いで来てくれました。

培われてきた伝統的食文化も、森・里・川・海と、水の循環系がきちんと維持されていることが大前提です。多雨とそれを保水する森林がもたらす、豊富な水の循環がこの列島に住む民族の命の営みの根源にあり、そのことに裏打ちされた食文化が継承されて来たのが和食であるということです。

山野から生まれる山菜・茸と言った「山の幸」、平野部は僅かに25％に過ぎないとはいえ、お米をはじめとする数々の穀物類や、多種多様な野菜が季節ごとにもたらされる旬の「里の幸」、また海からは、磯浜からの小魚、海岸浜の貝類、種類豊富な海藻を始めとし、沖海からは黒潮と親潮とが交差する海域からは、豊富で多彩な魚介類の「海の幸」、日本の食文化を語る時には、必ずこういった大自然の恵みである、命のもとの食材に支えられているという背景が有るという事実を認識して、考えを進めて行かなければなりません。

森林によって蓄えられた雨・雪は、大地の濾過を経て清らかな、とても美味しい栄養分豊富な湧水となって地表に現れます。その湧き水が幾筋も集まって清流なる川となって、里の田んぼと畑を潤し、多様な食の恵みを育て、鮎などの川魚を育み、そして海へと流れ込んで、ミネラル豊富な海水となって、昆布、若布といった海藻と多様な魚貝を育て、海の恵みとなって我々の食卓を鮮やかに豊かに彩ってくれます。

縄文時代にはまだ無かったと言われる稲作の水田農法が、弥生時代にインド・中国を経由して渡来したとされる米作の歴史です。我が国の自然環境が、豊富な水に恵また気候風土だったことから、格段に普及発展し、耕作面積も拡大の一途を辿り、農業技術の革新的な進歩に伴って、収穫量も増大し、〝お米の国〟（瑞穂の国）と謳われる国柄が形成されて行きました。国土で収穫できる穀物のなかでも、とりわけ美味しくて、栄養価に優れたお米が主食になって行くという〝食歴〟は、ある意味では必然的な要

写真４　料理、“鯛の姿造り”

素だったと思います。

我が民族の食生活の中核が〝米食〟となり、お米を主食とする食事に、季節の海・山・里の食材が〝おかず〟として主食の米飯の脇を固めるという食事スタイルが形作られて行き、我が国固有の食の文化を培い、伝承して来た訳です。そんな我が国ならではの食事形態は、時を重ね、時代を経て、海外の食文化の影響も大きく受けながら変革し続けてきたと言ってよいでしょう。

宗教伝来の歴史背景に大きく影響され、海外からもたくさんの種類の食材が伝来し、そのもともとは外来食材だった多くのものを、我が国ならではの気候風土に適合させ、民族の食味感覚に溶け込みさせて、まるで我が国固有の食材のように育み、伝承して来ました。

自然を畏敬する考え方、惟神（かんながら）の道、寛容に〝受け入れる〟という柔軟で明朗な民族固有の精神性が、現在の〝食べて健康　身体に優しい〟と、世界中の知識層の人々から賞賛をいただいている素敵な和食文化を進化され、発展をしてきたと私は考えています。

いずれにしても、〝土産土法〟の理に沿って継承されてきた

写真５　料理、前菜５点盛り

食文化は、大自然を敬い感謝しながら、その土地、その時代の人々の暮らしが偲ばれる〝郷土料理〟に垣間見られる気がします。

　収穫期の農村に広がる田園風景、稲がたわわに稔り、金色に色づいた稲穂が秋風にさらさら、ゆらゆらと揺れる景色は、天の仕業としか言えない、実に見事で美しい、心豊かになる風景です。西欧人が、我が国のことを〝黄金の国〟と称したということにも、きっと一役かっていたのではないかと想いたくなります。

　職業的に言えば、私は決して農業人ではないですが、この豊かな瑞穂の国に生まれ落ちたという、有り難い幸運を想い、喜びを感じ、なにか誇る気持ちにもなります。不思議と、豊かで幸せな心持になるのは、民族の遺伝子なのではないかと思います。

　租税も〝お米〟という社会が形成され、国家体制の大きな根幹を成して来たという、永い歴史を有して来ましたが、世界はいち早い産業革命を経て、白人中心の西洋列強時代に突入していました。我が国も、世界の大きな潮流を避けられず、鎖国時代の江戸期にもジワジワと外圧に屈するという形ながら変化して行きました。

明治以降には、開国という政策の転換から、諸外国との海外交易が、国家単位で公に始まり、諸外国との世界貿易が盛んに行われるようになりました。日本も貿易によって、為替経済社会への転換を余儀なくされ、国家の経済を計るものさしも、それまでの〝お米〟からお金（貨幣）で経済価値を計るようになりました。まさに、物心の両面に渡って価値観の革命が起きたと言っていいと思います。

いわゆる〝文明開化〟と称された時代でした。庶民の生活様式にも革命的な変化が次々に波状的に求められ、当時の人々の生活・暮らし振りの変化も、ジワジワと隅々に渡って生じて行くことになりました。そうなれば、当然ながら〝食を取り巻く環境〟が大きく変わると、食習慣・食生活も時代と共に変容し続けるという運命にあります。その時代、その時代を生きる人々にとって避けられない、ある意味では〝掟〟のようなものです。

そして、日本の食生活の根幹をなす「水」の循環は、「森」を守ることによって支えられて来ました、縄文・弥生と称される時代以来今日まで、森の面積が国土全体の65％よりも小さくなったことはありません。つまり、我々の先祖は脈々と森と水を大切に守って繋いで来てくれました。山・里・海・川からもたらされる、命を育む恵みの食材、こういった自然の絶対的な有り難い背景があってこその、日本の食文化です。

〝もったいない〟という日本民族の精神性について

気候風土と、それに伴う雨水の恩恵によってもたらされた稲作、「炊きたてのご飯に、豪華おかずはいらない！」と言われるほどに美味しい〝お米〟、この主役の降臨によって、我々は今日の〝日本型食膳〟と称される、固有の素敵な〝季節の風韻〟である和食文化を培うことが出来ました。

大自然の環境に恵まれた我が国は、自然の偉大な力を敬い、自然の恩恵を想い、自然のなかに生かされているという感謝の心を忘れない、「自然を尊重」し敬うという姿勢で、常に自然との共存を図って来ました。「自然崇拝」いう精神性が培われて来た民族です。従って、自然を畏敬し守って行くことと、伝統的な和食文化を守り継承して行くことは、一対のもので切り離せないことと認識することが、民族の未来を見据えることと考えることです。

我々の祖先たちは、〝神代の昔から〟『神話』という形で精神文化を伝えてきたことからも分かるように、人間が逆らうことの出来ない、大いなる力、霊的存在が自然である〝惟神〟〝随神〟（かんながら）の治める国というふうに考える民族性であり、樹木一本一本にも〝カミ〟が宿る、岩石にも滝にも、鳥や狐や蛇などの生きものにも、自然のなかに〝カミ〟があまねく（八百万の…）存在します。

古来より、「瑞穂の国」と称され、〝カミ〟様から頂戴するたくさんの恵み中でも、最も代表的な存在が「米」でした。米は民族の象徴的食糧であり、命の食です。自然尊重とそれに関る歳時記、行事（神事）は欠く事の出来ないものと捉えるお国柄です。

稲の神様のことを、「さ」と呼び、食べ物を「け」と呼んだ神代の時代から、神様の召し上がる食事のことを「神酒《さけ》」と称してきた民族です。従って神棚には、常にお米で醸造した日本酒をお供えする習わしです。〝神人共食〟の慣わしに沿って、神様が先にお召し上がりいただき、その後に〝直会《なおらい》〟といって、お供えしたものを神棚からおし戴いて人々でともに、有り難くのが儀礼であり慣わしです。祭りや祝宴には、神様の食べ物であるところの〝御神酒〟は欠かせません。〝カミ〟のおわす弓なす島に生れ落ちた幸運、天地自然の大恩に感謝せずにはいられません。

２０１１・３・11の東日本大震災、あの未曾有の大地震と大津波、自然の脅威を改めて見せ付けられた思いでした。自然災害に見舞われた中で、東北の人々の見せた「忍耐力」「辛抱強さ」「共同力」に感激し、「慎み深く謙虚で、優しい立居振舞」に感動した、と世界の人々から驚嘆の賛辞を頂戴しているということを、テレビ・新聞のニュース報道で度々見聞きしました。

あの未曾有の大参事、大自然の驚異の中でも現れた、自然崇拝の民族の精神性、どんな状況下でも人として〝道徳観・倫理性〟を守り通す姿に、改めて日本人としての誇りを自覚、認識させられました。

物理学者のアインシュタイン博士が、かつて日本訪問の折に、『日本人の心の優しさ、立居振舞いの美しさ、正直さ素直さの原点は、日本食にあるのではないか…』とおっしゃったそうです。

半世紀に及ぶ料理人人生を通して、晒しと称する割烹カウンター越しに〝人間を観察して来た私も常々〝食事への向かい方がその人の性格をつくる〟とか〝食事への向かい方にその人が表れる〟と感じて来ました。

『天地の恵みと　多くの人々の働きに感謝して　命のもとを　謹んでいただきます』と皆で唱和してから食べ始めます。食べ終わったときには『ごちそうさまでした』と感謝を述べるという食礼に、民族の食への向き合い方の精神性が顕著に現れている、とても心温まる素敵な誇れる伝統だと思います。

〝天与の恵みの食材〟は、神様からの贈り物です。これは好き嫌いなんかしていては〝罰〟が当りそうです。ありがたく感謝して、全ていただく…〟という態度が、人としての倫理と道徳感だと思いますし、茶道に代表される、日本的な学び方の究極は、〝慎み深く、奢らぬ様〟美しい立ち居振る舞い、『道』を求める〝凜〟とした姿だと思います。

このことは、地球上で暮らす全ての人類、72億人共通の智慧として、子々孫々まで受け継いで行かなければなりません。飽食時代と称される有り難い時代に生かされている我々だからこそ、大きな責任と大切な使命があると思います。

命の源の食材は大自然からの恵みです。私達料理人の食材に向かう心の姿勢は、〝カミ〟からの贈り物に対するとき、単に己の技術力をひけらかしたかのように奢り高ぶるのではなく、〝カミ〟に仕えるかのように純粋で素直、その上で謙虚な脇役として、〝介添え役〟に徹することが寛容で、表現を変えると〝マナーと、モラル〟を弁えて真摯に向かうことが肝要です。

すべての食材、或いは全ての部位に、それぞれに持ち味・うま味が有る訳ですから、全ての部位を使いきる、活かしきる、無駄はしない、出さない、そのための調理技術の研鑽が欠かせません。このような食への向かい方が、全てのことに感謝する、大切にする〝もったいない精神〟を育んで来たと思います。

日本語では、「食」という文字も、「人に良いこと」、或いは「良い人になるため」とも読み書き出来ます。大切な心を、先人達は〝一文字〟、実にシンプルに教え伝え残しました。

日本民族の食に対する構えは、決して豊潤な味を追い求めるのではなく、贅を尽くすことばかりを追い求めるのではなく、天与の素材そのものの「滋味《じみ》、慈しみの味」を尊び、この「自然の滋味」を最上の位として、素材が持つ本来の持ち味を充分に引き出し、調理する人も食べる人も共に、天地の恵みに感謝する心を育み、命を尊び合うことでした。料理作りの要点は〝加減すること〟と表しても良いと思いますが、その加減のことを古人は〝塩梅《あんばい》〟という言葉で表現します。

お母さんの手で結んだ、「おむすび」「おにぎり」は、命の料理と言えますし、お米の力です。「塩む

写真６　修業ノート

すび」がお米の持つ甘さ・旨味をもっとも際立出せます。母が手に塩付けて結ぶ「おむすび」作りに、大切な子供を慈しみ育てる様子と重ねて「手塩にかけて育てる」という言い方をします。「ご飯」と漬物の「梅干し」があれば、命を生きながらえることが出来ます。

世界の皆さんから、高い関心を持って頂いている「すし」(早鮨)は、このおむすびの延長線上に生まれた料理であると言えます。東南アジアから伝えられた、魚の保存法を起源とする「馴れずし」とは異なる発展を遂げました。

江戸の街で、屋台料理として大流行した早ずしは、近年になって「握り鮨」と呼ばれ、生の魚を酢飯に乗せて食べる形は、言ってみれば庶民の〝ファーストフード〟のスタイルです。従って、欧米人に受け入れられ、大流行したことも無理からぬことです。しかし、和食或いは日本料理を語る場合、決して「すし」だけではなく、懐石料理・会席料理・うなぎ・天ぷら・そば・うどんなどと同じ、和食アイテムの1つです。

かつて、日本の各家庭では、それぞれに手作りで〝自家製味噌〟を作っていました。自分好みのものが自慢する場面で、「手前味噌になりますが…」という言い方があるぐらいです。

また、味噌作りの際の副産物のように出来た、たまり醤油が発展して「醤油」が生まれ、料理の幅が広がり、日本人の食味を大いに広げ、味覚を大変喜ばせることになりました。世界的にも醤油の味は〝和食をイメージする味〟と言えます。

かつては家庭で、母親から娘へと継承されて来た「おふくろの味」は、醤油の辛さと砂糖の甘さの「甘辛味」を連想させるものが沢山あります。

日本の料理の特異性について

『メッセージの無いものは料理とは呼ばない！』日本の文化は「観たて文化」であると言われますが、和食文化も同じように観たて料理です。料理の仕上げの姿形には、季節の投影、御目出度さ、縁起良さ、招福祈願等々、の料理の作り手の意図が込められ、明確にメッセージが託されていなければなりません。作り手のメッセージが、召し上がる方に、ほのぼのと伝わる、感じられてこそ、はじめて「料理」と呼べるのです。食材に調理を施せば「食品」にはなります。コンビニの棚に美味しいものが沢山並べられていますが、しかし私達の概念では、決して「料理」とは呼べません。

私が修業を始めた頃は、日本料理のことを常識的に〝割烹料理〟と呼んでいました。〝割烹〟とは「割主烹従」という四字熟語の略語です。〝割〟とは切る事、〝烹〟とは煮焚きする事、日本料理のスタンスは「庖丁が主です」よ「煮焚きすることは従です」というふうに考えますという意味です。従って、日本料理文化の建前は、「庖丁」をことのほか大切に考える〝料理文化〟です。

会席料理のコースの中でも、切るだけの調理技術を施す〝さしみ〟がメインディッシュという、主役の地位に座りますし、民族の感度の高さが感じられると思います。この料理で〝切れ味〟をもあじわう

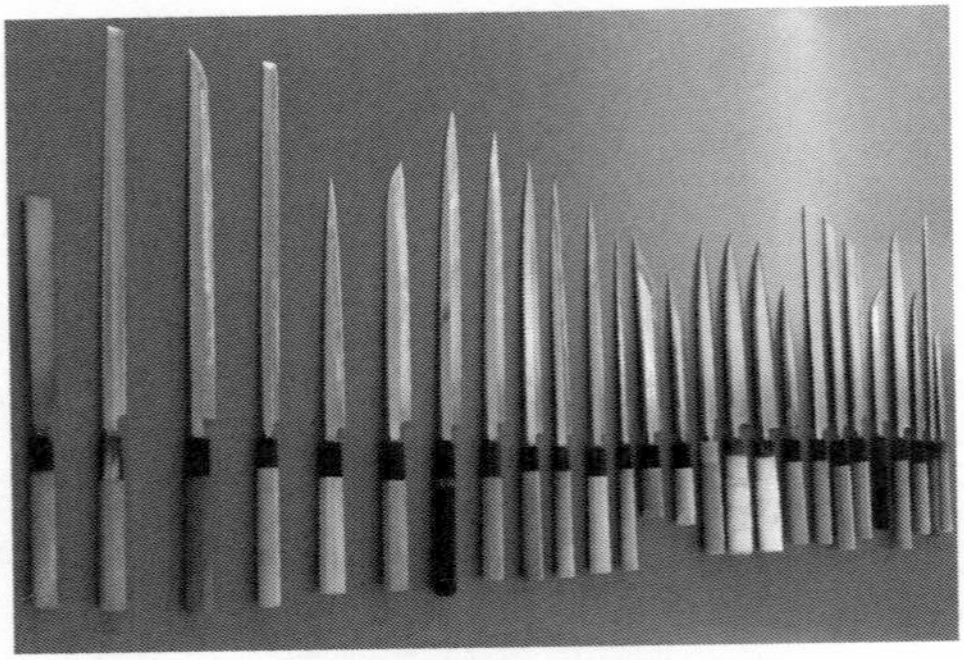

写真７　修業庖丁の数々

という味覚センス、片刃の切れに拘るなど、なかなか粋でカッコイイと私は誇りに感じています。因みに、お隣の国、中国料理の考え方は、〝烹主割従〟で、煮炊き・炒めを〝主〟とし、切る事は〝従〟という考え方です。お国柄が感じられておもしろいと思います。

日本料理を作るに当たっての考え方は、その土地の産物を使い、その土地に伝わる料理法で、その土地の調味料で仕立てる「土産土法」です。

献立するにあたっては「陰陽」「五味五法五色」の規範に沿って立てることになります。調理法は「生・焼き・焚く・蒸す・揚げ」の五法です。さらに食材の色は「赤・黄・緑・白・黒」の五色です。味は「甘い・塩からい・酢っぱい・苦い・渋い」、〝医食同源〟の考え方にも叶います。

料理には、二通りの向かい方がある…。というのが私の考え方です。１つは、家庭でお母さんが、家族のために作る家庭料理です。お父さんの限られた給料の中から工面して、家族の健康を考慮しながら作る、見返りを求めないまさに〝愛情料理です。もう1つは、我々職業料理人（プロ）が作る、企て図り仕事とも言える、ビジネス上の〝営業料理〟です。

各家庭で日常的に食べる家庭料理、我が国では「おふくろの味」と言われて来た料理です。しかしながらいまの日本では、その基盤が壊れかかっていると言える残念な現状です。白い「割烹着」を着けた、おふくろが家庭の台所に立って料理する姿が消えて、ママの「エプロン」姿に代わり、出刃庖丁をはじめとする片刃の和庖丁が、ステンレスの洋庖丁に代わり、更にはハサミの時代に突入しました。主婦の担う〝家事〟の中で、最も時間を要するのが〝炊事〟、いわゆる料理作りです。

職業料理人としての感覚で日本料理とは…？　と問われたら即座に〝季節料理〟です、と私は答えます。私が専門としている会席料理では、自然の移ろい、季節の景色をお客様のお膳の中に取り込む、投影するというのが、献立を組み立てる上での向かい方です。

和食の特異性は、季節料理であることを前提に、下記のような事柄が挙げられます。

・「汁が付く」ことが挙げられます。
主食のご飯の相方としての〝汁もの〟はもちろんのこと、酒を伴う会席料理にも「吸いもの」は欠かせません。そば・うどんの「麺料理」に或いは「鍋料理」など、汁は欠かせません。なかでも「おでん」は汁好きの庶民派を代表する逸品と言えるでしょう。

・「香の物」、「お新香」の存在、糠漬けに代表される漬物はご飯を美味しく、引き立ててくれる名脇役です。精米の際に生ずる米糠を活用して「糠漬け床」を考案し、微生物の働きによる発酵食品にして、食卓を潤す知恵には頭が下がります。

・「箸で食べる」、提供する食べ物（料理）の大きさは〝一口大〟にすることが約束です。もっと言及すれば「箸づかい」が、イコール「和食マナー」と言っても過言ではないです。

我が国の子供達の半数が満足に「箸が持てない」という嘆かわしい現状です。どうにもならない輩のことを称して、〝箸にも棒にもかからない奴〟と揶揄しながら、しっかり躾けて来てくれた先人達に見られたら、誠に恥ずかしい限りです。

「会席料理の献立」、季節を切り離しては成り立たないと言えます。季節を「食膳」に取り込み、表現するのが約束です。食材は当然、旬のものを中心に献立しますが、走りと名残りを上手に取り入れ、季節の喜びを満喫して頂くことを心掛けます。

その他にも、食事をする空間、食卓の設（しつら）え、料理を盛る器選び、心温まる接遇サービスに至るまで、隅々まで心を配り、芸術性を備えた形で発展してきた〝会席料理〟は、日本の文化の粋が詰まっていると言えるものです。

各種の会食・商談・接待の御席で提供される、日本料理はほとんどが〝会席料理〟と言っても良いでしょう。

・「茶懐石料理」、禅僧の影響を受けて武家社会の戦国時代に確立された「茶の湯」に伴う、主人自らの手料理が始まりです。命のやり取り、鎬削る日常の中から、侍の高い精神性の極みの武士道に沿う精神の元、真味探求されて来た料理です。

茶席でのおもてなしの心、研ぎ澄まされた所作と食材に精通した料理技術は、会席料理をはじめとする、現代日本料理に大きな影響を与えて来ました。

「侘び・寂び」の茶道は教養の極み、教養大学とも称され「茶を知らずして、料理を語るなかれ」と言われるほどです。

茶道が教える心の構えは、謙虚・素直・正直であり、「慎み深く、驕らぬ様」に尽きる、美しい人

写真８　和食器コレクション

間の姿です。

・「郷土料理」、全国津々浦々に、それぞれの土地の特徴のある、懐かしい料理が沢山伝えられて残っています。おらが国自慢、郷土の誇りと、土地の人情までも味わう、そんな伝統の料理です。

・「精進料理」、仏教の影響を色濃く反映し、僧侶達によって伝承発展して来ました。大豆を中心に野菜素材の扱いや料理法において、和食の発達に絶大な影響を与えてくれました。

・「節句料理」、お正月、桃の節句、端午の節句など、それぞれの歳時記に相応しい、楽しい料理が伝承されています。

・神社等に伝わる「神に捧げる御神饌」なども日本の食文化を考える時に避けて通れません。

その他にも、先人が伝えてくれたさまざまな食文化の形・食の知恵・食の精神性・調理技術が数限りなく伝承されて来ました。

・海外の料理から影響を受けて、時間の経過とともに我が国の独自料理として発達を遂げ、和食とジャンル分けされた料理も沢山あります。

例えば「とんかつ」・「オムライス」・「カレーライス」・「ラーメン」・「牛丼」などは、外国から来日した海外のお客様からしたら、代表的なものです。和食という風に括って言う場合に対して、日本料理と言う場合では、ニュアンスが少し異なります。

それじゃ「日本の食文化とは…」と質問されたら、明快に、満足に説明・解説出来ないことに、誰もが気付かされます。それぞれの分野別や、ある角度からの断面として、何時の時代かなど時間軸、更にはカテゴリー別にしか、語れないと思います。それでも、感性の優れ、賢い皆様のことですから、私の雑多な話しの中から、何か少しでも感じて、気づいて、そして食への向かい方に活かして下されば大変に幸せです。

「和食」が世界に注目されたキッカケについて

1977年、通称「マクガバン・レポート」と言われる、5千ページにも及ぶ膨大な報告書が発表されました。これはアメリカ人が肉食に偏っている為に病人が増え、いずれ医療財政が破綻するという危惧から、時のフォード大統領はマクガバン上院議員を委員長にした検討委員会をつくり、世界の食糧事情と食の現状を、延べ2年間に亘り、調べさせたものでした。

この報告書の中に、世界で最も理想的と言われた食事形態は、雑穀を主食とし、海藻・魚介・大豆を柱にした蛋白質摂取、旬の野菜を副食としてたっぷり摂取することだと結論づけたといいます。実はこれは、かつての日本の伝統的な食事形態、「一汁一菜」或は「一汁三菜」などの日本型食膳と言われるもの、と同じものでした。

この報告書を読んで、食生活改善の重要性に目覚めたアメリカの知識階級の人々の中から、健康志向食事スタイル「マクロビオテック」という、我が国の「精進料理」と通じる「食養料理」を発信しました。

一方で、一般のアメリカ人にとって最も分りやすく、受け入れやすいスタイルの「和風のファーストフード」として、「すし」「天ぷら」などが人気を博し、さらに「すき焼き」「焼肉」「とんかつ」など「和食ブーム」とも言える現象が現れて来ました。

また近年は、本格的な会席料理を提供する「日本料理店」も増えているのが米国・欧州のみならず、中国などのアジア圏でも、更なる「和食ブーム」と言える状況のようです。背景には、肥満度判定による肥満度ランキングでは日本は、１６６位という結果も「和食はヘルシー」の世界評価に影響を与えていると思います。

大まかに、江戸期までの日本人が主食として食べ続けた「玄米」には、「ガンマオ　リザノール」という脂肪摂取を抑える効果を持つ成分が有り、知らぬ間にその恩恵を永い間ずっと受けて来たのです。

さらに、ご飯と相性の良い魚にも肥満を抑える効果があります。鮪・鰹などの赤身の魚に多く含まれるヒスタミンは、満腹中枢を刺激して、食べる量を抑える働きが有り、「和食ヘルシー」の理由づけになります。

日本人の食生活の現状

世界人口が70億人に達し、そのうち9臆人を超える人たちが餓えに苦しみ、食事がとれずに2秒に1

人の割りでいのちを失っています。その一方で肥満人口は15億人、世界の4~5人に1人が肥満者という状況です。肥満は食べ過ぎが原因の「生活習慣病」で、それに掛かる「医療費増大」、各国では肥満対策が緊急の重要課題となっていると聞いています。

明治期以降、すでに産業革命を成功させた西欧諸国から、怒涛のごとく産業・近代科学・技術・文化が我が国に押し寄せて来ました。いわゆる「文明開化」と称された「第一次・欧米化」です。

また、先の第二次世界大戦で敗北した我が国の国民は、悲しいほどの「貧困・餓え」を味わうことになりました。占領国の米国より、脱脂粉乳・麸(ふすま)・大豆カス、などの「食べ物」を、餓えに苦しむ国民を救う為「恵んでもらった」時代が有りました。その後も、経済力をはじめ、文化・芸術・音楽・映画・ファッション・娯楽・スポーツに至るまで、若者にとっては、アメリカは豊かな超大国で、眩しく憧れの国でした。

アメリカの軍事力に守られた形で、アメリカのように豊かな国を目指すという勤労意欲に支えられて経済発展を遂げ「奇跡の復興」と称賛された我が国の戦後は、価値観やイデオロギー、すべての規格がまさに「第二次・欧米化」の歴史だったと言えます。

食生活もしかり、多大な影響を受けて来ました。皮肉にもマクガバン報告書で「あまり食べ過ぎない方が良い!」と警告されたハンバーガーに代表される米国型のファーストフード・ファミリーレストランがどんどん入って来て、盛んに利用され、喜んで食べるようになりました。その結果病気も、糖尿・肥満をはじめとする欧米型の「成人病」が、日本でも急増して来ました。国内で最も長生きの県だった「沖縄」などは、食生活の劇的変化で、最近は肥満度国内1位となるなど、このまま推移すると、長寿の県ではなくなるのではないかと心配になります。

結びにあたり

いまわが国では、先人たちが培って来た食文化、多種多様な「山幸・海幸」によって栄養バランスが理想的で、健康にとても良い食事、「ご飯が主食」で「魚介・海藻」そして「旬の野菜」に「お茶と和菓子」、身体と心の栄養となって、精神性さえも高めてくれた伝統的な食生活が、すでに壊れかかっている、と危惧する向きがあります。私もそう危惧する一人です。

どこの民族も、「知育・体育・徳育」の三本柱で国家教育を推進する訳です。近頃は、「食育」を加えて四本柱だなどと、ジャレごとの言葉遊びに興じている向きの誌面に出くわしたりしますが、情けなく思います。命をつなぐ〝食〟は、教育の三本柱と並び称するようなものでは無く、全く別次元の存在であり、食育などという言葉で表す次元のことでは無く、食と命はイコール、一繋がりである、と言うのが私の考え方です。

農林水産省が中心となって進めてきた活動が実を結び、２０１５・ユネスコの無形文化遺産登録が実現しました。先祖が培って来た宝物のような食の知恵を、人類共通の宝として、広く普及・継承して行きましょうという願いです。

これは、外国の皆さんに日本の食生活を自慢しようなどということでは無くて、むしろ全くもって反対に、我々日本人自身が、先祖が民族の知恵として培って来た食文化、気候風土に恵まれたために〝水料理〟とも称されるような、国土に適した食文化を継承出来ている有り難さを再認識し、自然環境の汚染・破壊などへの反省、更には健康な食生活の構築など、感謝の活動にして行くべきだと考えます。先人から受け継いできた、食の知恵を絶やすことなく、しっかり次代に継承して行こうという、私達日本人の現状への反省を込め、未来に繋ぐ活動にして行くべきだと思います。

世界中のご家庭の食卓に、〝いつも素敵な笑顔の花が咲き続けます〟ように、そして人々の日々が幸せなもので有りますことを、心からご祈念申し上げます。

私は、これからもうまず弛まずに〝料理道探求の旅〟を歩んで参りたいと思います。

5 西欧で学んだ音楽やワイン造りからワインビジネス創造へ

小柳才治

⦿小柳才治（こやなぎ・さいじ）

1973年国立音楽大学声楽科卒業、NHK東京放送合唱団入団。その後ドイツ・ケルンオペラ劇場研究生として活動。1981年ドイツプファルツ地方にてブドウの栽培と醸造を学ぶ。1986年酒販専門学院ワイン専任講師を経て学院長就任。全国の酒販店の後継者教育に携わり後、酒類販売専門店グループESPOA本部長就任。1995年ESPOAを主宰する㈱日本ストアーサービス代表取締役社長就任。2006年欧州ワイン輸入業務を主とする㈱フロイデ創業代表取締役社長就任。2010年一般社団法人日本ドイツワイン協会連合会三代目会長就任。2016年一般社団法人日本ドイツワイン協会連合会会長引退、名誉会長就任。輸入業務を生業とするかたわら、東京、横浜、名古屋、大阪にてワイン教室を主宰。2019年春「横浜国際音楽祭」（クラシック音楽）にオカリナで出演。

最初に自己紹介を兼ねて私のプロフィールについてお話しします。なぜなら現在の仕事でありますワインビジネスと私の歩んできた道とは密接に関係しているからです。その話の中でビジネス起業など皆様方のやりたいと考えている事のヒントなどが見つかれば幸いです。

横浜国際音楽祭出演

平成から令和元年にかけての大型連休中に私はオカリナ奏者として「横浜国際音楽祭」に出演しました。プロフィールにもありますように私は元々音大を卒業してドイツへオペラ歌手目指して留学しましたが、実は歌を勉強する前にオカリナ演奏が大好きでした。私のオカリナ演奏をウィーン在中のピアニスト・マリアさとみさんの耳にとまり、今回の出演が決まりました。横浜国際音楽祭とは海外で活躍するピアニストやヴァイオリニストさらには楽器など若手演奏家にも声をかけて、世界中のミュージシャン達が横浜へ集まり期間中に公開レッスンを受たり、様々なところでクラシックライブなど活動してもらいたいという音楽祭です。

私の本業はワインビジネスですが、そういう人間がプロの音楽家に交じって演奏するというところに意義があります。よく私の専門は○○ですと自己紹介される方々は多いのですが、一つの専門分野にこだわり過ぎず、幅広く色々とやることによって、また見えてくる世界も大切にしたいと私は考えます。

ロケット博士糸川英夫先生は私の大変尊敬する航空工学者ですが、一方で彼はチェロを弾く音楽家でもあります。世界初のはやぶさによる小惑星探査は有名ですが、イトカワは先生の名前がつけられた小惑星です。先生の著書「逆転の発想」や「独創力」シリーズなどは私の青春時代の愛読書でした。父や

写真１　横浜国際音楽祭出演（2019年春）

兄の影響もあり私は小さいころから宇宙に興味を持ち、当時としては高性能な土星の環が見えるほどの天体望遠鏡をもって良く天体観測をしていました。宇宙に強い好奇心をもった少年時代を過ごした事もあり、糸川先生の著書に出会うことになったのだと思います。先生が書かれた著書はほとんど読んでいますが、特に「独創力・他人のできないことをやる」は大好きな本でした。少年から青年期にこれら著書に出会ったことと自分の人生は強くかかわっていると思います。

その先生がチェロコンサートをやると聞いて私はワクワクした事を覚えています。将来私もいつか音楽コンサートに出演したいという願望は糸川先生のあのチェロコンサートの影響があると思います。偉大な先生と自分を比較するとは大変おこがましいとは思いますが、先生の幅広くとてつもなく自由で奥深い発想は専門家と称する多くの方々も大いに参考にするべきだと思います。

オカリナとの出会い

私が育ったところは横浜市緑区（旧港北区）で昔は「横浜のチベット」と呼ばれる田舎で緑の多い丘陵地帯でした。田舎の中学

写真２　オカリナを演奏する著者

校ではありましたが、音楽科の先生は桐朋音楽大学のピアノ科を卒業され「授業は寝てもよいから僕の演奏するピアノを聴きなさい」と、ベートーヴェン、ショパンやリストのピアノ演奏を聴かせてくれた、なんとも素敵な先生でした。

その先生が「小柳は笛が上手だからオカリナを吹いてみないか」と土で焼いた当時としては珍しい本格的な正しい音がでるアケタ・オカリナ（日本最初に市販されたオカリナ）を渡されました。正しい音が出るオカリナと言いましたが、実は当時はもとより、今でもオカリナという不完全な陶器としての楽器は正確な音がでないものが大半です。先生はそうしたオカリナの特性を良く理解した方で、私に正しい音楽的アドヴァイスをおくってくれたのでした。その意味で非常に教育者として素晴らしい先生でした。

父兄が見学に来る授業参観で先生のピアノ伴奏でオカリナ演奏をして大きな拍手をもらった事がきっかけで、いわば拍手の魔力にとりつかれと言いますか、高校は進学校にすすみながら、吹奏楽部に所属して、とうとう音楽大学の進路を選び、まさかドイツへオペラ歌手目指して音楽留学するに至るとは、少年時代には想像すらしなかった事です。

今思えば少年時代に出会った恩師の影響無しに現在の私はあり

えないことになります。

シベリア鉄道で音楽の本場欧州へ

港町ヨコハマで育った私は海外へ行く環境にも恵まれていたように思います。大学時代に若かりし指揮者小澤征爾さんの講義を受けた事がありました。彼がその講義の中でこんなことを言ったのを記憶しています。

「私は横浜港から貨物船でスクーターと指揮棒一本もって、インド洋からスエズ運河経由で地中海からフランスのマルセイユへ約一か月かけて渡りましたが、君たちはシベリア鉄道を使えばわずか二週間で音楽の本場欧州へ渡れるねぇ、良い時代になったものです」と。

小沢征爾さんは「ボクの音楽武者修行」という自伝書の中で、そのことを書いています。世界的有名な指揮者コンクール、フランスのブザンソンの大会で彼は優勝した時に、コンクールでありながら審査委員にスタンディングオベーションさせるほどの天才ぶりでデビューしました。世界の小澤と言われる切掛けを作ったコンクールだったのですね。

話がそれました、小澤さんは、さらに「伊藤博文、板垣退助、森鷗外や夏目漱石等は横浜の港からアフリカ大陸の喜望峰経由で約二か月かけて欧州へ行った」ことなど、欧州について興味ある話をして頂きました。

そんな話を聞いた私はなるほどシベリア鉄道ならたった二週間で本場へいけるのかと、勿論シベリア鉄道はもっと昔から開通していましたが、戦争など政治上の都合で我々日本人は大陸を鉄道で行くことができませんでした。当時それが解禁された事を小澤さんは教えてくれた訳です。すぐに実行に移すところが私の良い点でもあり無謀な性格かもしれません。

１９６９年の夏、私が大学二年の時、横浜港から津軽海峡経由でナホトカへ渡り、シベリ鉄道でバイカル湖の街イルクーツク、ノボシビルスク経由で、生まれて初めて見るシベリアの広大な大地に圧倒されながら約一週間かけてモスクワまで、さらにワルシャワ、プラハ、ブタペストと走り、あこがれの音楽の都ウィーンに着きます。東欧からさらにザルツブルクを経て日本から約二週間かけてドイツに入国したのです。当時ソビエト連邦ナホトカから確かに陸続きで汽車でドイツへ来ることができた、大陸は欧州までつながっていると実感したものです。

私のドイツ留学期間中は日本へ帰国するにも欧州へ渡欧するにも初めはシベリア鉄道利用でしたが、徐々に航空機が発達してアラスカのアンカレッジから北極経由で日本と欧州は結ばれていました。東南アジア、インド、トルコイスタンブールからイタリアのローマに入る南回りで飛ぶとまる二日かかりましたが、北回りなら途中アラスカで一度中間着陸しただけでおよそ一日あれば飛べることができたのですが、現在はロシア上空を飛ぶ最短距離の直行便で11時間半もあれば欧州に着きますから夢のようです。

ＮＨＫのスタジオで運命のオペラ歌手との出会い

大学で声楽を専攻4年で卒業した私は学生時代からアルバイトで歌っていたＮＨＫ東京放送合唱団に就職します。１９７０年代初頭、上條恒彦が歌った「出発の歌（たびだちのうた）」が全国的にヒットしたのですが、北は北海道旭川市から南の九州種子島までの全国行脚公演に作曲家の小室等さんや歌手のジョー（上條）さん達とヴォーカルとして同行した旅は今でも忘れません。佐良直美さんの「世界は二人のために」もヴォーカルやったことがあります。50年近くも前の古い話です。NHKのスタジオにはいわゆる芸能人達が出入りして、なんだか自分も特別な人間になったような錯覚の日々でした。しかし、何となく芸能界の空気になじめない自分もそこにあったように思います。

ある日、NHKのスタジオでドイツ・ケルンオペラ劇場の「ヴォルフガング・アンハイザー」バリトン・スター歌手の歌唱力に圧倒された私は、TV放映終了直後サインを貰いにスタジオの袖で待ちました。私は合唱団のヴォーカルメンバーでしたから一流のスターや歌手達とは一般人よりは会える機会は豊富にありました。

下手な英語で「ドイツへ留学して、オペラ劇場で歌を歌いたい」と。ま〜あ、若気の至りといえばそれまでですが、今思いますと穴があったら入りたいという心境です。

ところがアンハイザー先生は僕に名刺をくれて「一度劇場のオーディションを受けてみなさい」と。そこで私はすっかり舞い上がり「ドイツへ行けばなんとかなるのではないか?」と勝手に考えたのが自分の人生を大きく変えた転機となったのです。間違いだったのか、正解だったのか? 今となれば、私がドイツへ留学しなければ現在は無いという事は確かな訳です。

私の両親の事

ここで少し本題から離れるかもしれませんが、私の両親についてお話しします。

父は東京下町本所で明治時代からの酒類販売業を営む実家で生まれ育ちました。次男でしたから酒類販売業の後継する気持ちも無く、向島という色町も近い事もあり、芸事を学ぶ環境は整っていました。父は若かりし頃、三味線や長唄に興味を持ち、父が憧れた杵屋の門をたたき歌舞伎座の舞台にも立ったこともあるようです。ただ、戦争という芸をやるには不向きな時代に青春期を送ったものですから、それは実現できませんでした。

父は、私の名前に「才治《さいじ》」という命名をしましたが、自分が全うできなかった、芸の世界、つまり「才能を治める事」ができるような子供に育てたいと考えたようです。

その意味では芸術芸能に関しては非常に寛大でした。「音楽に関わらず芸術芸能や文化を学ぶにはお金がかかって当然であると。それが仮にモノにならなくとも何も気にすることは無いと」随分ありがたい父親でした。

そういう父でしたから戦時中の疎開先では定職も無いのに、三味線や長唄に親しみ、俳句や茶道を楽しんでいたようです。一家の生活は経済的にはすべて母が支えていました。

母は越後（新潟県）の織物問屋の娘として大正期に生まれました。戦後食糧難の時代に私は育ちましたが、母はドレメ（ドレスメーカー）という東京の洋裁学校で少女時代学び、早くから故郷新潟で洋裁学校を開校して、当時着物から洋服の時代を先取りして、高級紳士服の仕立てなどで生計をたてていました。ドレメではあの森英恵（モリハナエ）の先輩格にあたるというのが母の自慢でした。彼女が銀座にブティック&サロン「ハナエ・モリ」を開業して、ニューヨークやパリで大活躍した頃の話しです。そんな時代にこのような両親に育てられたからこそ、当時としてはまだ珍しいドイツ音楽留学ができたのだと思います。

オペラ歌手目指してドイツケルンへ留学

学生時代にドイツ旅行を体験していましたから、もう怖いもの知らずの自分でした。折角就職したNHKをわずか9か月間で退職して、ドイツ・ケルンオペラ劇場の歌手目指し留学する事を決心したのです。

今思えば非常に無謀な行動だったかもしれません。大学の先生達でさえ当時本格的な欧州留学をしている人は少なかったように記憶しています。しかし、恩師や両親はそうした私の判断には前向きに応援してくれました。がしかし、そうした周囲の応援や期待が逆に色々な意味で後々プレッシャーとなり、ドイツ音楽留学時代は私にとっては楽しくも苦しい日々が続くことになるのです。

なにもかもが生まれて初めての体験でした。１９７３年当時ケルンにはほとんど日本人は住んでいませんでした。生活は外国人留学生も含めてほぼ全て外国語の世界で、終日ドイツ語や英語に囲まれた生活の日々でした。初めは下手な英語で話していましたが、劇場の仕事等はどうしてもドイツ語を学ぶ事が急務でした。ケルンの公的なドイツ語を学ぶ夜間学校に通ったりして、昼も夜もドイツ語の毎日でした。ケルンには日本食レストランは皆無で、私は良く安価で美味しい中国レストランへ行き食べながら祖国の味を思いうかべていました。オペラ劇場からほど近いケルン駅前には有名なドーム広場がありま す。ここは有名な観光スポットですから、今でも観光客が集まるところです。ドーム広場に時々行って、日本人の観光客との会話が唯一の慰めみたいな生活でした。最初の１～２年はドイツ語で苦労した事を今でも思い出します。

オペラ劇場のワインバーでアルバイト

ドイツ語が少し話せるようになって私は劇場でアルバイトをするようになりました。最初にした仕事は劇場内のワインバーでワイングラスの洗浄作業でした。ワインバーのマスターはワイングラスを布巾一枚で見事に指紋一つ残さず透明に美しく磨き上げます。暇さえあれば磨いていました。大きな身体で大きな声で冗談を言いながら私を可愛がってくれました。常連客が来ると「この日本人はオペラ歌手のたまごで将来はケルンのスター歌手になるかもしれないよ?」「今のうちにサインもらっておけよ!」なんて良く言われました。

マスターの奥さんもいつも一緒で私は直ぐに仲良くなって、気がついたら私はマスター夫妻の自宅の屋根裏部屋に格安で住まわせてもらっていました。こういう人見知りしない性格は海外向きですね。実はこのマスター夫妻との出会いが、後々ワイン業界への興味につながっていくわけです。

マスター夫妻には色々と教えてもらいました。劇場のワインバーはオペラ開催期間中たいてい二幕か三幕が終わると大休憩があり、観客は劇場から一気にワインバーのある大ホール（休憩所）に移動してきます。それからがマスター夫妻の出番です。アルバイトもここが勝負の時間です。短時間でいかに飲み物を多く販売するかでした。

マスターは良く言うことに「ビールを飲む客はオペラを良く知らない輩だ!」「軽食を食べる客も同じ」一番の上客（オペラ通）は「ゼクト（スパークリングワイン・発泡酒）を飲む!」と。そして「ワインはその次だ」と。マスターに言わせると、ビールを欲しがるお客はのどが渇いている、つまり、自宅で夕食を済ませていないからだと、芸術の鑑賞は喉の渇きや空腹状態では楽しめるものではないと。その点、ゼクトは晴れの日の飲み物であると。皆さんおわかりでしょうか？　生活にゆとりが無いと芸術はなかなか楽しめないという事をマスターは教えてくれたのです。

また観光客などは夕食も取らずに慌てて劇場に来るからビールが欲しくなるのだと。

なるほど、良く観察するとそういう事が少しわかってきたのです。皆さんも海外のオペラ鑑賞するときには気を付けましょう。これは正しいマナーだと思います。

ケルンの貴族（富裕層）は音楽家達のスポンサー

マスターは劇場のワインバーにある「シュタムティッシュ」と呼ばれる常連席をとても大切にしていました。常連客が来るといつも自らワインボトルを持参して、その常連専用のテーブルへ特別にワインをサービスしています。時には特別なゼクトやワインを持参して常連客達と大きな声で話をしています。常連客の大半はかなりのオペラ通で貴族や銀行の頭取、医師や名前の前にＤＲ（博士号）と付いている方々です。マスターにしてみれば高額なワインを飲んでくれますからありがたいお客な訳です。

ある日私は、その常連席へマスターに連れられて行きました。私は特別なワインを持参する役目でしたが、マスターは直ぐに私を常連客に紹介してくれました。

「彼はオペラ歌手を目指している若手研修生です。可愛がってあげて下さい」と。

するといかにも富裕層と思われる貴婦人が「あなたは何が歌えますか？」と質問してきます。私は「オペラ曲なら特にモーツアルトの魔笛やフィガロの結婚など」「そしてシューベルトの冬の旅なら全曲練習しています」なんて言えと、マスターの指示通り答えたものです。ははは。「決まり文句を名刺代わり言えば、運が良ければ貴婦人に興味を持ってもらえるぞ！」と。

これは私がドイツで学んだ事ですが、ドイツでは中世の時代から音楽家は貴族がスポンサーで生活が成り立っていて、その習慣は形変われども今でも続いています。

モーツアルトもベートーヴェンもそれぞれに貴族たちがスポンサーになっていたのです。

私はこの貴婦人に気に入られ、奥様に好かれれば旦那がスポンサーになってくれ、ケルン在住の貴族の邸宅へ音楽家のタマゴとして通える訳です。こういう事もマスターの応援のおかげです。

貴族達の晩餐会

ある貴族の晩餐会を具体的にお話しましょう。

一言で言えば、貴族仲間達が集まって、美味しい料理とワインを味わいながら、世の中のあらゆる話題など語りながら共に楽しく、音楽を聴きながら時を過すという事だと思います。

私はピアニストやチェンバロ奏者達と一緒に、貴婦人のお気に入りの曲を演奏する時間までグランドピアノが置かれたシュパイゼ・ザール（食堂大広間）の片隅で静かに待機します。

いつも難解な芸術文化論や政治の話をする伯爵や男爵は嫌われます。そういう自慢話をする男は話が長い。それより、今話題の貴族や芸能人達のスキャンダルや流行の音楽や絵画やワインや料理の話が軽妙にでき、教養の豊かさが嫌味にならない控えめな男性ならおよそ貴婦人達に気に入られます。若くて内面から輝くような美男子です。そして、話は短目にわかりやすくが一番です。そういうことは言葉がわからなくとも、横で見ていると表情やしぐさで直ぐにわかります。

私の興味はもう一つありました。実家が酒類販売業という事もありお酒や料理については好奇心旺盛でしたから色々と学びました。ナイフやフォークの使い方から料理の内容、どんなワインが出てくるのかといった一連の状況を目の前で見る事ができるのですから興味は尽きません。

実はずーっと後で、ドイツでワインの栽培と醸造を学ぶ事になるのですが、その後、帰国してワイン業界で、特にホテルのソムリエさんやホテルの料理人さん達にこの体験談は大変喜ばれました。

グランドピアノやチェンバロの置かれたシャンデリア輝く大広間の中央に、大きな楕円形の円卓があります。貴族や富裕層たちはその円卓を囲むように座り、それぞれの席に、給仕や料理人達によって料理とワインが次々と運ばれてきます。その晩餐会のために、数人の料理人と給仕が備え付けの厨房でその日の料理を担当します。ケルン市内の有名レストランのシェッフは元より、時にはフランクフルトやベルリン、さらにはパリやミラノからも料理人は招待されていました。

初めにゼクト（ドイツのスパークリングワイン）から始まって、前菜を楽しみます。魚介類を様々な形で楽しみ始めると、やや高額なブルゴーニュ産の白辛口がでてきます。当時ドイツのケルンにいながら、貴族達はフランス料理やフランスワインを楽しんでいたのです。

一般市民はソーセージと黒パンとジャガイモ食べながらビールを飲んでいますが（笑）。

ドイツの教養ある貴族達は英語よりフランス語に通じています。フランス語を話せないと教養人とは言えません。なぜかというとそれは今回のテーマではありませんので興味ある方は欧州の歴史や文化について学ばねばなりません。

さて、その後、メインの肉料理が出てくる頃になると、ブルゴーニュ産の赤ワインか、もっと南のボルドー産の赤ワインが出てきます。濃い目の新樽熟成のシャトーワインです。その日の料理によって、色々とソムリエ（貴族お抱えのワインの給仕）さんが解説します。

こうした一連のいわばコース料理を食べながら延々と続く晩餐会を我々音楽家は、静かにただひたすら待っているのです。私はこうした体験から欧州の中世時代から連綿とつながる貴族の晩餐会を理解できたように思います。音楽家が片膝ついて待つ姿勢そのものが貴族達の優越感をくすぐり喜びとなるのです。

もっともモーツアルトのような偉大なる音楽家ともなれば、彼の天才的能力に対するあこがれというか、その才能に出資できる誇りと申しますか、スポンサーとしての他を圧倒する最高の優越感を得る事ができるのでしょう。お金はそういう事に使いたいと。

晩餐会も盛り上がり、美味しい料理とワインを楽しんだ後に、いよいよというか、ようやく音楽家の出番です。貴婦人は私を簡単に紹介して、私はグランドピアノの前で深々と頭を下げて貴婦人お望みの曲を披露します。上手に歌える事はもとより、その席上で大きな拍手を頂く事がとても重要でした。貴婦人の喜ぶ顔が確認できれば、その日の音楽家は良い仕事をしたことになります。帰り際に楽譜の間に、封筒にいれられた現金をはさんでくれます。

「音楽家は貴族にやとわれてナンボ」の世界を私はドイツケルンで体験しました。

一流と三流の違い

オペラ歌手にとっての夢はやはり「憧れの舞台に立つ」事だと思います。私の所属したケルンオペラ劇場に限らずどの街の劇場もオフシーズン（夏休み）には、公演旅行活動をします。ベルリンやミュンヘンなど大きな都市で知名度を上げる公演を目指します。時にはザルツブルクやウィーンさらにはイタリアのミラノやローマまで行く事もあります。オペラ歌手として舞台に立つにはオーディションがありますが、受験者は指揮者や演出家の前で歌います。それは大変緊張します。音楽ファン500人、1000人の前で歌うより指揮者や演出家の前で歌う方が余程厳しいです。なぜなら、一発勝負で失敗は許されないからです。今思うと、もうそれだけで心の緊張がありリラックスした歌が歌えない状況に陥っていた事に気づきます。もうその時点で私は負けていたかなぁと。

これは、スポーツでも歌手でも役者さんでも皆同じだと思います。一流選手や一流歌手は自分の持っている能力を最大限に発揮できる平常心を保つ事が出来ます。

技術的にはほぼ同じレベルなのに（本当は違うのかもしれませんが？）普通その能力は本番ではなかなか発揮できません。平常心と申しますか、リラックスした状況を作りあげることができる人が一流と呼べるのです。私は残念ながら三流でした。

オペラを通じて文化&歴史を学ぶ

私はオペラ歌手にはなれませでしたが、色々とオペラを通じて学ぶことができたと思います。18～19世紀初頭に活躍したモーツアルトやベートーヴェンの時代にはオペラ公演は欧州各地で上演されました。オペラの中身は崇高な宗教的な内容から貴族達のゴシップまで様々ですが、一般庶民には喜劇的な出し物や（オペレッタ）恋愛モノの人気が高い訳です。オペラ劇場へ行けばそうした欧州中世代の貴族や庶民の生活が色々と学べ、自然当時の歴史文化に触れることになります。

ワインの飲み方や料理の事などオペラ劇場へ行けば沢山学べます。

また、特に夏休みの外国公演は劇場合唱団の一員として欧州の各都市を公演旅行など貴重な学びを沢山体験しました。

例えばミラノ・スカラ座は有名ですが合唱団の一員として憧れの舞台に立てた事はオペラ歌手目指した私には忘れられない思い出となりました。

公演終了後の出演者と後援者の方々との楽しかったパーティーや、つかの間の休日に音楽仲間達と歴史的建造物や博物館を見学したり、また特別なルートで紹介してもらったワイナリー訪問したり、思い出せば沢山あります。話したらきりがありませんね。

オペラ歌手の夢挫折！

オペラ歌手は劇場から上演の役柄によってそれぞれに報酬を受け取ります。人気あるモーツアルトやヴェルディーのオペラなどはスター歌手に誰がなるかによってお客の入りが全く異なります。そのスター歌手を招聘するには、劇場支配人の希望もありますが、ほとんどの場合、指揮者と演出家に決定権がある場合が多いようです。人気イコール客数に直結しますから、劇場としてはもっとも知名度の高い指揮者を常任指揮者に添えて、人気ある歌手に自分の劇場で歌ってもらいたいと考えるのは至極当然です。ケルンオペラ劇場はケルン市の経営ですが、その経営の総責任者である支配人の手腕によって指揮者は招聘されるのです。常任指揮者とその右腕というか現場の演出をする演出家で歌手達を選出します。

私はそういう劇場のシステムを何も理解しないで、どうすれば舞台で歌えるものなのかも何も知らないで留学していました。上演の数か月前になると出演者を決めるオーディションが開催されます。そのオーディションに出る前に、録音テープ（今ならＣＤか映像付きのＤＶＤいやスマホの動画かな？）による審査があります。ほとんどの場合、その審査で落ちてしまいます。主役クラスは精々３人から５人ですから狭き門も良いところです。私はそういうシステムを知って、愕然とした事を今でも鮮明に記憶しています。

ではどうすればオーディションに声をかけてもらえるのか？　劇場の若手歌手のタマゴ達同士で話したり情報交換したりしましたが、例えばドコドコの国際コンクールで入選した位では、中々劇場のオーディションには合格できないと。優勝してチョット注目を浴びる位でしょうか？　オペラ劇場はドイツやオーストリアやイタリア、フランスなど欧州を中心に各都市にそれぞれにありますが、売れっ子の歌手はどこの劇場でも欲しく、人気がありますが、こうなるには余程の才能が無いとダメです。才能の世界ですから、大変厳しい世界です。芸とはそうしたものです。

それでも私は何度か当時の先生方の力添えで、オーディションに出させて頂きましたが、最高で「主役が万一病気になって歌えない時にピンチヒッターとして歌える」というものでした。このピンチヒッターで鮮烈なデビューを果たした著名歌手は過去に何人もいるのですが、私の場合、才能も無く、運も無く、残念ながら一度も主役クラスの役柄はいただけませんでした。この時点で夢も希望も打ちひしがれて挫折感を味わう日々を過ごしていました。オペラ歌手の世界はそう甘くはありませんでした。

音楽からワインへの転身

オペラ歌手への夢は捨てきれずに劇場のワインバーでのアルバイトは生活のために続けていました。しかし、オペラ・オフシーズンの夏季は劇場も休みですから、ワインバーのアルバイトはできません。劇場専属の合唱団に所属していましたので演奏旅行は極力同行していました。しかし、それ以外のオフシーズンは収入がありませんので、ワインバーのマスターは私に「夏の終わりころになるとワイン産地で葡萄収穫のアルバイトがあるけれど君はそこで一度働いてみるか？」と、ブドウ収穫の仕事を探してくれたのです。

当時多くのトルコからの季節労働者達が各ワイン産地で収穫作業をしていました。毎年微妙に異なりますが、一般的に9月中旬から10月末日の約一か月間葡萄収穫作業となります。南のバーデン地方やプファルツ地方は早く始まり、それより北のライン地方は遅くまで収穫作業が続きます。私はどうせアルバイトするならば、栽培や醸造も学べるワイナリーで働きたいと希望を述べたところ、有難いことにマスターは自分のバーで販売しているワイナリーを紹介してくれたのでした。

収穫アルバイトだけならばトルコの季節労働者達と一緒に決められた時間内だけ働けばそれなりのアルバイト代金を得ることができましたが、私はあえて「アルバイト料金は不要ただし栽培と醸造も教えて欲しい」と希望しました。そのかわり「住むところと食事はお世話になりたい」と申し出ました。

そういう事を希望した背景には日本酒の酒造りがありました。日本酒の造り酒屋で修行するには、泊まり込みで杜氏さん達と一緒に寝起きを共にしないと本当のところは中々理解できないと良く父や兄から聞いていました。ワイン造りもキット日本酒造りと共通するところがあるのではないか、と考えたのです。初めてのワイナリー修行をやるにしては、今思えば中々良い心構えでワイナリー体験できたと考えます。

その後いくつかのワイナリーで修行することになるのですが、体験する度に色々な事を学べ、なんと言ってもケルンのような大都市に比べると、どのワイン産地でも、緑豊かで空気も澄み一緒に働く仲間達にも恵まれて、非常に楽しい日々を送る事が出来たのでした。

元々オペラ歌手を目指した私ですから、ワイン村へ行くと必ず合唱団に所属しました。ドイツにはどんなに小さな村でも合唱団は必ずあります。それも創立100年200年はあたりまえで、中には300年以上も続いている合唱団もありました。さすが天才バッハやモーツアルト、ベートーヴェンを生んだ国です。合唱団員はほとんどが葡萄栽培やワイン造りの関係者でした。一緒に歌えば明日からすぐに親しい友達になれました。

音楽を共に楽しむには言葉は不要でした。新しい土地や新しい環境にすぐに溶け込むことのできる自分の性格はこういう時には大いにプラスとなりました。

こうした環境の大きな変化が私の気持ちの中でワインという新しいジャンルに興味が移っていったのだと思います。

DWIで外国人向けワインセミナー講師となる

数か所のワイナリーでブドウ栽培と醸造技術を学びながら、時間があれば全国のワイナリー巡りを親しい同世代の若手醸造家の息子さん達と一緒に楽しみました。彼らは自動車を持っていますし、いわば良いところの息子達ですから、経済的にはある程度恵まれています。私にとっては車代金も不要、宿も友人知人の家に泊まりますから不要という素晴らしい環境で本当に恵まれた時を過ごすことができました。持つべきは友です。困ったときには全国にある研修を受たり修行したワイナリーへ行けば、衣食住には全く苦労せずに滞在できるようになりました。電話して「何か手伝う事があるか?」と聞けば「待っているよ」と嬉しい返事が聞けるのです。これは私にとっては今でも財産になっています。

音楽はレッスン料金を支払って学ぶしか方法が見つかりませんでしたが、ワインはなんとか自分が一生懸命働いた事が認められたのか、各所で快く受け入れてもらえたという事だと思います。

こうして私は気が付いてみたら日本人としてはまだ当時珍しい、うってつけの仕事を手に入れることができたのです。

ＤＷＩ(Deutches Weininstitut)という半官半民のドイツ・マインツ市に本拠を置く、ドイツワインを世界に広報する機関がありますが、私はそこでドイツワインについての広報の仕事、特に外国人向けのドイツワインセミナー講師をすることになるのです。

この仕事で実に様々な世界中の方々と知り合う事ができました。例えば日本からドイツワインについて学びに来られた、レストランのソムリエ、輸入商社マン、酒屋さん、ドイツワイン愛好家等々。そこで出会った方々のお一人に、当時一般社団法人日本ソムリエ協会を作られた浅田勝美さん(日本で初めてソムリエという職業に就いた人)との出会いは今でも続いておりますし、その後輩にあたる現ソムリエ協会会長の田崎信也ソムリエもその一人です。またワイン流通業界の方々との出会いも多数おります。もう数えたらきりがないほど沢山の方々との出会いがあり、帰国してから、多くの皆様方には本当に良くして頂きました。

酒販専門学院設立学院長に就任

ドイツから帰国して最初に声がかかった事は、ソムリエ協会で「ドイツワインの最新情報の講演」を依頼されました。つまり当時日本市場で輸入ワインとして上位売り上げを誇っていたドイツワインについて業界の方々が興味を持ってくれたという事です。

またドイツワインを日本に紹介するというワイン専門誌で「ドイツワイン特集」の執筆を依頼されたりもしました。本場欧州でワインやビール、ウイスキーやブランデーについて学んだ人間はほとんどいなかった時代でした。

言葉の壁も大きかったと思います。私はドイツ語と英語、音楽用語ならイタリア語を理解していましたからワイン用語も自然耳に留まるようになりました。ワインを学ぶにはフランス語やイタリア語やスペイン語が重要ですから、自然興味を持ち、学んでいくうちに、イタリア語、スペイン語、フランス語の共通点とか、ドイツ語とオランダ語や英語との共通点などを理解するようになりました。簡単に言えばラテン人とゲルマン人達はそれぞれの言語を話しているという事です。欧州では英語以外でもドイツ語かイタリア語、フランス語を話せれば、どこでも旅するには不自由はありません。

しかし、講演や書籍出版でご飯を食べていくほどワイン業界は大きくありませんから、私は「ワイン流通業界」というより「酒類全体の流通業界」に身を置く決心をしました。そのころから日本酒や焼酎また、当時非常に人気があったウイスキーやブランデーなど蒸留酒にも興味を持ち始めました。

関西の酒類&販売の小売店組織の中ではありますが「酒販専門学院」という酒類販売の業界に携わる次世代の若い方々のための専門学校を設立しました。その専門学校で当初は主任講師を務め、学生達と一緒に日本酒の酒造り体験をしたり、日本酒の原料である酒米の田植えや草取りを体験したり、製造から販売までを学べる専門学校を始めることになりました。

こういう誰もやらなかった事をやることに非常に燃える性格は先にお話ししました、ロケット博士の糸川先生の考え方や、単身ドイツ留学時代から培われたものと考えます。

学生達と一緒に修学旅行と称して当時としては珍しい「欧州お酒の旅」を計画実施したりもしました。自分の行きたいお酒の産地を次々と無料でいや授業料を頂いて旅行できるのですからこれは楽しいですよね。フランスのボルドーワインやブルゴーニュワインは勿論の事、コニャックやアルマニャックなど高級ブランデーの産地も行きました。ドイツやベルギーのビール産地やスコットランドのスコッチウイスキーなど、また欧州から離れて、カリフォルニアワインやオーストラリア&ニュージーランドにも美味しいワインがあります。

まあ、酒の旅をしたりすることは大変楽しい仕事でした。こういう仕事は日々同じ事をしない、常に好奇心をもって次々と新たな事に挑戦するような仕事ですから自分には最適と言えました。自分の中ではほとんど遊んでいるような気持ちでしたが、気がついたら学院長に就任していたといった方が良いかもしれません。やればやるほど次々と新たな壁にぶちあたりましたが、それを突破することが素晴らしい学びとなりました。

この時代に育った生徒達は卒業して、それぞれ全国で酒販業務についていますが、例えばセブンイレブンの経営者とか大型酒類販売ＤＳストアー経営者とか、私が一番望んでいた、小型店ながら酒類販売の専門店とか多くの生徒たちは経営者として現在でも全国で活躍しています。

珍しいところでは渡欧してフランスやドイツのワイナリーで修行して、自分でワイナリーを経営している少数派も存在しています。世界で活躍できる生徒達が卒業した酒販専門学院は今でも私のなかでは誇りに思っています。

全米の年収上位10％は文科系ビジネスマン

私の経歴の中で音楽やお酒について話してきましたが、私のワインビジネスとしての本題についてそろそろお話ししましょう。

最近目にしたプレジデント社出版のクリスチャン・マスビアウ氏の書かれた「動きながら考えろ」の中で興味ある文面に注目しました。そして私は思わず膝を打つような内容になるほどと感心したのです。それはどんなことかと申しますと、「全米の年収上位10％は文科系ビジネスマンが占めている」というのです。

人文科学ですね。つまり文学、歴史、哲学、芸術などを専攻した人達です。それは、科学技術や、工学、数学など専攻した人間よりも収入が多いということです。いわゆる理数系より文科系を専攻した人間の方が収入につながっているという事です。ビジネスをやるにしても文化にとことん関わる人間がこれからの時代の成功者になれるという事になります。

しかし、誤解のないように申し上げねばなりませんが、科学、技術、工学、数学が人文科学に劣っているということではなく、例えばモノづくりにはそうした技術系の能力なしにはあり得ない訳ですが、出来上がったモノを市場にどのようにして販売につなげていくか？　といった問題や、どのような客層にそれをどのように販売すべきなのかといった、世の中を文化的な視線で観察して、流通に流す能力はまた別物であるという事でしょう。

頭の固い技術一辺倒ではなかなかお金にならない、しかし、それをどのように流通に流したら売れるのか？　という事を創造できる能力こそが非常に重要であるということです。

このテーマこそが「アート・プロデュースの技法」という境先生の目指されていることだと考えます。

１９８０〜１９９０年代の日本の小売市場

１９８０年代の終わりから１９９０年代半ば頃はいわゆる日本のバブル期でしたが、私はその頃、当時中流から上流階級をターゲットとした、酒類と食品販売の専門店グループ「グレードアップストアー」を立ちあげ、現場を任される仕事に赴任しました。

すでに大型スーパーが進出して、街の商店街にある小売店は大型スーパー出店の反対運動を盛んに行っていた頃です。

普通一般どこでも販売されている商品を店に並べても、わざわざその商品を買いに来る理由は特にありません。同じ商品ならば、近くて安いお店から買うでしょう。現在では日本全国にコンビニが普及していますからその事は理解できますが、当時はまだコンビニの過渡期でそうしたあたりまえの事が、まだまだ一般小売店の方々には理解されていませんでした。

他店に販売していない商品をどのように仕入れ、どのように販売したら良いのだろうか？　と色々と模索しておりました。初めは日本にまだ輸入されていないイギリスのスコッチウイスキーを共同で輸入して、他店との差別化をはかりました。その後、ウイスキーに続いて、日本にはまだ輸入されていないワインの輸入も始めました。ところが、ただ商品をお店に並べただけでは中々売れません。珍しいというだけではその商品の良さが消費者には伝わらない訳です。

そこで競合の無い加盟店同士で、販売のヒントの情報交換や特別講師を招いて販売セミナーを開催する事になるのです。そこで業界のプロ達の話を聞くことになるのです。

スーパー・ダイエーやイトーヨーカドーの創業者達の話を聞いた記憶がよみがえります。販売するという事の難しさや楽しさを学びました。それにしてもどのような世界でも同じだと思いますが、ダイエーの創業者中内功氏やイトーヨーカドーの設立者の伊藤雅俊氏、後に頭角を現すセブンイレブンの鈴木敏文氏など、生で何度か講演を聞きましたが、やはりただ者ではないと申しますか、その実行力と人間力には圧倒されたのを覚えています。

「売れる」と「売る」の違い

街のお酒屋さん達は、酒類販売免許に守られて長年商売を続けてきました。

売れ筋のビールや日本酒等、小売店主は何もせずとも、テレビや新聞でメーカーがＰＲしてくれますから商品をお店に置いておけば黙っていても売れていきます。お酒の販売は免許が必要ですから近所には競合店は基本的にはありませんでした。重量のあるビールなどは、お酒屋さんに電話注文すれば昔は無料で配達もしてくれました。物を運べば今はあたりまえのようにお金がかかる時代になったのに。そうした体質を持った小売店主さん達にとって、商品とはただ店においておけば「売れる」ものだと考えていたのです。

ところが、少し説明しないとその魅力が伝わらない商品は、黙って置いているだけでは全く売れません。メーカーもどこの誰が作ったものかもわからない商品ですから、これは中々販売するのは難しい商品となるのです。そこで当時の販売セミナーで私が提案した事は次のような事です。

はじめは全く興味のない知らない商品を「欲しいという気持ち」にさせて販売に結び付ける行為を「売る」という。この事を理解してもらうために、私はどれだけの時間とトレーニング実習をやったか、この技術を習得すれば実はどんな商いでも成功する事につながります。

例えば、大手メーカーのビールは「売れる商品群」ですが、無名のワインやスコッチウイスキーは「売る商品群」となるのです。

現在ならば、例えばアマゾンの商品をネットで購入する場合、一つ一つの商品について詳細なる説明（能書き）が書いてありますから、それを消費者は納得するまで読んで、購入につながるケースが多いのですが、この当たり前の行為が当時はまだ何もなかった訳です。

現在のネット販売は、写真と能書きでまさに「売る行為」そのものを実践しているのです。

購買心理の七段階

ここで少し、商品が売れていく消費者の「購買心理の七段階」という事についてお話しします。この消費者が商品を購入する時の心理というものは、昔も今も変わりませんからビジネスを起業しようと志す方には大変重要なヒントがあると思います。

（1）注意を引く
（2）興味を起こさせる
（3）連想をさせる
（4）欲望を起こさせる
（5）比較させる
（6）決心させる
（7）実行させる（お金支払い）

まず、（1）から順番に簡単に解説します。

（1）注意を引く

どんなに説得力ある話ができても、相手がこちらの話を聞いていなければ全くそれは無意味で始まりません。例えば群衆の中でより多くの人々に自分の話を聞いてもらうには、例えば手品師や大道芸人ならば、突然路上で火を燃やすとか、口から火を噴くとか、大きな音で注意を引くとかしないと、群衆の目にとまりません。どんな素晴らしい芸でも、相手がこちらのやる事に対して目をむけてくれなければ始まらないのです。これが最初の勝負です。

（2）興味を起こさせる

次に行うべきは、相手に「興味を起こさせる」ことです。それは注意を引いた瞬間からすでに始まっています。（1）（2）はそういう意味では連動しています。手品師や大道芸人ならば群衆の目の前で、火を起こした次には、すでに頭の上に皿が回ったり、鳩が飛び立ったりするでしょう。すると群衆は立ち止まって、それに対して興味を起こし見つめる訳です。

（3）連想させる

この連想させるという事が実は大変重要です。例えば店頭でワインの試飲販売をしてたとすると「良く冷えた白ワインはいかがですか～」「今夜お二人でワインはいかがですか～」「プレゼントにワインは素敵ですよ～」「女性に喜ばれますよ～」とかお客様が連想しやすいような言葉を連発します。人が欲しいという欲望を起こす手前にはかならず「連想する心」が重要なポイントになるのです。

（4）欲望を起こさせる

「良く冷えた白ワイン」に対して「どんなワインかな？」「ちょっと味見してみるか？」「二人でワイン」「プレゼントに最適」「女性に喜ばれる」など自分の事に置き換えて人は連想します。連想は直ぐに、「欲望に直結している」のです。欲しいという気持ちにさせるには「お客様の連想をくすぐる」事が最も大切な作業となります。そういう玉を次々に投げるという事です。セールストークの最も重要なポイントです。これはネット販売の場合もまった同じです。連想させるような文章や写真を次々にお客様に見せるという事です。

（5）比較させる

ところが人間というのは中々決められないという一面を持っています。欲しいというところまで来ても、さてどうするか？　と一息ついてしまうのです。もちろんこれは人によって様々ですが。そこで、この揺れ動く人間の心に決心させる最も重要なポイントが「比較させる」という事です。売り手に無理やり商品を薦められるとほとんどの場合お客は拒否反応を示すものです。しかし、欲しいという心理状態に二つの商品を提示する事によって、かなりの確率でお客様はどちらかを選択すべく比較検討するのです。自分で選択するから決心できるのです。

（6）決心させる

比較検討させることにより決心を早める事ができる事は売り場で体験してみれば良くわかります。赤ワインと白ワインを比較したら自分の好みは直ぐに分かります。

スーパーでの試食も同じです。色々と沢山の選択肢があると、むしろ迷ったりしますが、できれば選びやすい商品に絞って提案する事です。

（7）実行させる

決心させても、実はこの実行させることができないと元の木阿弥です。お金を頂かないと販売は成立しませんから、決心させた後は、「ありがとうございます。このワインは1本１５００円ですが、本日は１３８０円でお買い上げ頂いています」と、詰めねばなりません。すぐにお金を頂く事が営業のもっとも重要なところです。ワインを持参してレジへ案内してお金を頂いて完了です。

私はこの購買心理の七段階、つまり人間のものを買う時の心の動きを良く理解する事が大変重要だと考えています。今でも営業する場合にはこのことを頭に置いてお客様と接するよう心がけています。皆さんも是非この昔も今も変わらない普遍的な心理を是非学んでみてください。無理やり売るのではなく、喜んで買って頂くための重要な要素がここにあります。

星の数ほどあるワインを短時間で効率的に学ぶ秘訣

「星の数ほどあるワインを短時間で効率的に学ぶには？」これは私のワインの最初の師、オペラ劇場のマスターの語り草のような話ですから、今でも私はその話を主宰するワイン教室の皆さんに良く話します。

マスターが言う最も大切な事を箇条書きにして説明します。ここのところだけでも良く理解しますと、ワイン早わかりのヒント満載ですから今日はぜひ覚え下さい。これは一生役に立ちます。都内にある立派なワインスクールに通わなくともある程度自分で学ぶことができます。

（1）「飲むこと」です。それもできれば「比較試飲」をすることです。

最低2種類、できれば複数のワインを色々と比較しながらワインを飲む事が重要です。普通一人では相当な呑み助でも1本くらいまで、二本あけることはほとんどありません。だから比較しながら飲むという事が普通ほとんどないわけです。

（2）ワインには「色」「香り」「味わい」の三つの楽しみ方があります。

これは目で色を楽しむ。鼻で香りを楽しむ。そして、そのあとで「舌で、口の中全体で味わう」ことが大切です。比較試飲するとその違いが良く分かります。

（3）ワインには「白ワイン」「赤ワイン」「ロゼワイン」の三種類があります。

ワインの色で分類すると三種類に分かれます。例えば赤ワインの場合、原料ブドウの皮の色素がワインに溶け込んでいるからワインレッドになります。白ワインは皮の色が緑色のブドウで基本的に果肉部分のみの果汁を発酵させてワインとなりますから色は透明です。
ロゼはその中間でピンク色です。赤ワインの少しだけ色を出したものと赤白の混醸タイプがあります。

（4）ワイン用ブドウ品種の代表的な名前と味わいを覚える

これは大変重要です。ある意味これさえ覚えたら一気にワインは身近なものになります。覚えるべき代表的ブドウ品種を言います。覚えるとは名前だけではなくその味覚的な特色を身体で覚えるといいますか、香りや味わいを覚えるという事です。

赤ワインの代表的ブドウ品種

（イ）カベルネ・ソーヴィニヨン種（フランスボルドー地方産）
（ロ）ピノ・ノワール種（フランスブルゴーニュ地方産）
（ハ）メルロー種（フランスボルドー地方産）
（他）シラー種・サンジョヴェーゼ種・モンテプルチャーノ種

白ワインの代表的ブドウ品種

（イ）シャルドネ種（フランスブルゴーニュ地方産）
（ロ）ソーヴィニヨンブラン種（フランスロワール地方産）
（ハ）リースリング種（ドイツライン&モーゼル地方産）
（他）

赤白の代表的ブドウ品種を申し上げましたが、星の数ほど地球上にはワインがあります。

まずは上記の代表的な品種の特色を色々と比較試飲して覚えるとワインの全体像が良く見えてきます。

例えば赤ワインのイ）カベルネ・ソーヴィニヨン種はフランスのボルドー地方が原産です。色は深紅色で本来ワインレッドとはこういう色の事を言います。ロ）のピノ・ノワール種はフランスのブルゴーニュ地方原産です。淡く透けて見えるような柔らかなルビー色はとても美しく、慣れてくると色を見ただけでもすぐに分かります。

マスターは言います。ワインは色と香りだけでおよそ見当がつく、最後は味わって確信できると。

まあ、こうなるにはより沢山のワインを飲まないといけませんが、ワインの味わいを理解することは欧州の上流階級では音楽や絵画、文学と同じく教養の一つとも言えます。

それから次に学ぶべきことは、そうしたワイン有名な代表的な品種の特性を覚えたら、それらが世界のどこの産地で栽培されているかを学んでください。

例えば、わが国の特産でもあるみかんに例えれば、長崎、愛媛、和歌山、静岡など色々な産地がありますね、リンゴでも信州、秋田、青森、など産地によって同じ品種でも味わいが異なったりします。ワインは果物・ブドウが原料ですから品種の特性は共通性があるものの産地が異なりますと微妙に味も違います。

話を聞いているだけでは中々理解は難しいと考えますが、実際に飲みながら学べば楽しく割合に簡単にその違いを学ぶことができるのです。

私はワインのプロであるマスターから最初の一歩を学ぶことができましたから、その後各地のワイナリーで栽培や醸造そして販売までも体験することができたので、その繰り返しの学習の中で自然に学べたように思います。そういう意味では幸運でした。

漫画でワインの商品知識や販売のヒントを業界誌で連載開始

ある業界誌の編集長から「小柳さん漫画の原作をやってみませんか？」という声がかかり若かった事もありますが、二つ返事で引き受けました。絵を描くのは嫌いではありませんでしたが上手とも言えない私は原作ならできるだろうとチャレンジしました。

何年くらい連載したでしょうか。これも中々興味ある仕事でした。内容に関しては、自分がやってきた事を、そのまま書けば良いのです。あとは漫画家が私の原作を読んでイメージして絵を描いてくれるのです。出来上がったものを自分のイメージとすり合わせながら作っていく仕事はまた中々楽しいものです。

業界誌の漫画原作をやりながら、本当に自分のやりたい事が見えて来たように思えます。

「神の雫」という人気ワイン漫画がありますが時代がもう少し遅くに生まれていたら私も挑戦していたかもしれません。宮崎駿さんのアニメは今や欧州ではものすごく有名です。アニメの音楽も高く評価されています。ジブリの作曲家と言っても良い久石譲さんの人気は特に評価が高いです。実は久石譲さんは僕の卒業した国立（くにたち）音大の二年下の後輩です。彼は作曲科で学んでいましたが音大は男性が少ないですから学生食堂などで一緒に食事した事もあります。久石さんは作曲と和声楽は島岡譲先生の門下生でしたが、当時声楽科の私も同じ門下で勉強していました。

写真３　まんが「モモちゃんのワイン教室」

久石さんは今や「世界の久石！」で歌に挫折した私とは何も関係はありませんが、彼のやっている事がなんだか自分の事のように誇らしい気持ちになるのは同じ日本人だからでしょうか。

彼は凄い人ですが自分とはかけ離れた人間では決してありません。久石さんも同じ人間です。皆さんも自分がやりたい事にぜひチャレンジして欲しいと思います。

富裕層ターゲットの高付加価値市場

私のワインビジネスの中でごく少量ですが高付加価値商品の輸入を行っています。

平たく言えば高級ワインです。いや高級を通り越してとてもワイン1本の価格とは思えないまで高騰してしまったワインもあります。ご存知の方も多いと思いますが、フランスブルゴーニュ地方、ヴォーヌ・ロマネ村、ロマネ・コンティという畑で造られたワインです。

写真4　ロマネコンティワイン（フランスボルドー地方にて著者撮影）

写真のワインは一昨年私が渡仏した際に、ボルドー地方にある世界文化遺産に指定されているサンテミリオンの街にある、ワイン専門店で撮影しました。

ロマネ・コンティの価格は1990年代の日本のバブル期に日本の富裕層達がこぞって求めた結果1本100万円を超えてしまい当時のニュースでも報道されたのですが覚えておられますか？　そして、現在ではお隣中国の富裕層の方々が世界で一番高額なワインという事で買いあさり、ますます価格は上がり、この写真のワインでも現地で1万5千ユーロ程ですから日本円に換算すると190万円ですか？　ビンテージ（収穫年度）によっては200万円を超えて250万円もするワインが出てきました。富裕層達が需要と供給の関係で価格を作り上げていくのです。日本のバブル期以前にはすでに高いワインではありましたが、私でも購入できるような価格帯でした。

競売会価格で高くなった高額なワインは世界でも色々とありますが、通常取引価格が200万円を超えてしまったのは日本人と中国人の富裕層達の需要が原因です。

それはそれで商品ですから我々インポーターは需要があれば輸入します。ロマネ・コンティのようなワインは特殊なワインでもありますが、そうした富裕層達が興味を持つワインは他にも多々あります。その市場にどう仕掛けるかは大手ワインショップやデパートなど日本全国にはたくさんの販売店がありますが、その売り場のバイヤーにインポーターからどう情報を流すかは重要なポイントです。完璧な温度管理されたセラーはそうした高付加価値ワインの販売にはとても重要になってきますし、ワインを良く勉強している公認のソムリエやワインアドヴァイザー、またはワインエキスパートなどの資格取得者が販売に従事することは必須となります。そして最近ますます本物志向の傾向が強まるとともに付加価値ある良品を求めてバイヤー達は現場へ足を運びます。日本全国いや海外まで欲しい商品を求めています。そうした熱心な売り場の方々こそが今あたらしい市場を開拓しているのかもしれません。

私は長年ワイン流通業界に身を置いておりますのでそうした富裕層の市場についても熱心な販売員の方々と情報交換してきましたが、かつてドイツで学んだ貴族達の晩餐会での体験などは大いに役立っています。ただ商品の説明だけではそうした高額ワインは売れません。さらに一歩進んだ仕掛けも必要でしょう。

ＣＶＳローソンでコンビニ最高級ワインを販売！

２０１８年春から約１年間コンビニエンス・ストアー　ローソンで私がプロデュースした１本１４８

写真５　ローソン店舗の1480円小売りの赤ワイン

０円（税込）の赤ワインを販売しました。１００～２００万円のワインの話の後で、現実味を帯びた低下価格のワインの話をします。この１本１４８０円という価格は実はローソンの中では、いやコンビニ全体の中でも最高級ワインクラスだと言えます。単品としては私の中で量的にはレコードだと思います。全国約１５０００店舗で販売が決まった時は、大変嬉しかったですね。

どうしてローソンが私のワインを選んだのかは実は訳があります。ローソンの販売企画の中で「神の雫シリーズ」というキャッチフレーズでワインを棚に並べようというアイデアです。高級スーパーのワイン売り場などではすでにそういう切り口で販売しておりましたが、たまたま私の持っているワインも連載週刊漫画「神の雫」のスタッフに掲載されたワインだったのです。運が良かったといえばそれまでですが、長年やっているとたまには良いこともあるものです。

ご存知のようにコンビニの店舗のワイン売り場というか、棚はスペースが狭く、大型店でも４本、標準店舗なら2本しか棚に並べることができません。しかし、それが全店で並べてもらえると、2本並べて単純計算で3万本ですよね。それだけで4500万円の売り上げになります。年中無休24時間営業のローソンでこれが一体どれくらい売れるのか？　まったく想像できませんでしたが、販売が始まるとかつてないほどのコンテナ単位でのワインが動き出し始めました。凄いな、というのが実感でした。

私のワインビジネスは海外からワインを輸入して日本市場で販売するという非常にシンプルな仕事ですが、一口にワインビジネスといってもこのように随分様々な分野があります。

私はコンビニや大型スーパーマーケットで販売するのは本来あまり得意ではありません。

今回はたまたま運よくそういう注文が私のところにやってきたといった方がよいかもしれません。私の得意な分野はむしろ真逆で付加価値のある高級ワイン分野を長年やってきました。「高級ワインというのは美味しいから高いのか？」と考えてしまいますが、そうとも言えるし、そうでないともいえるような飲み物です。

何度も言いますが「ワインは星の数ほど世界にはあります」これからも世界中の産地で様々なワインが毎年造り続けられますが、それをどう発掘して市場に流すことができるのか？　私はやはり最終的には現地へマメに足を運んで造り手と語り、本物の素晴らしいワインを市場に流すことができれば、今後もますます可能性ある商品として成長を続けると考えます。

おわりに

「ProWein プロワイン」と冠する世界最大のワインイベントが毎年3月にドイツ・デュッセルドルフ

で開催されます。今年は64か国６９００社の出店で、世界１４２か国・６１５００名の来場者数で名実ともに業界最大のメッセ（見本市）となりました。

世界中からワイン生産者が広大なイベント会場で三日間、それぞれの国々生産地に分かれて出店します。その出店規模を見ると世界のワイン市場の縮図を見ることができます。元気な国は出店数もおのずと増えています。近年は日本からも出店しています。日本産ワインだけではなく、わが国伝統のライスワイン、日本酒業界もプロワイン出店に業界全体で取り組んでいます。和食が世界文化遺産になったことも追い風で日本酒業界も海外輸出へようやく取り組み始めました。

世界最大のワインメッセがワイン大国フランスやイタリアではなくワイン生産国としてはマイナーなドイツというところが不思議です。ドイツはメッセ（見本市）を国家規模で経済活性化のために推進しています。ドイツ各都市では様々なテーマでメッセが開催されます。メッセを運営するために、例えば「メッセ・デュッセルドルフ社」という会社を作り世界の主要都市でテーマ毎のイベント出店を募集する仕事を担っています。私はそのメッセ・デュッセルドルフ社のメルケ日本支社長と懇意にしていますから、そうした彼の仕事ぶりをみるにつけドイツのやる気を強く感じます。さすがに欧州ＮＯ１経済国ドイツです。ドイツで音楽とワインを学んだ私としてはドイツが頑張る姿勢にいつも拍手を送っていま す（笑）。

ワインビジネスについて色々とお話してきましたが、最後に例えば輸入に関して申し上げるならば、起業するにあたりどういう方向で会社を設立するか？　という課題に直面します。

会社の規模を大きくするならば、物量を増やせる商品群にせねばなりません。例えばスーパーマーケットやＣＶＳをターゲットとする低価格帯日常ワインを主に輸入して市場に流通させます。またその真逆で高級志向のワインを狙うなら、少人数で、情報さえあれば無店舗でも起業は可能だと思います。物流はワインの専門流通業者に任せて現地から港まで運びそれを日本の港付近の倉庫で管理し流通する方法です。極端に言えば一人でも可能なビジネスです。その場合は世界のワインのどれかに絞り特殊な高付加価値商品群の販売を目指すのが良いでしょう。日本には様々なインポーターがおりますが、スマホ一台でワインも輸入できる時代になっています。しかし、私はやはり現地へマメに足を運んで本当の情報を入手して責任ある商品を探さないビジネスはいずれ終わってしまうように考えます。

本日は長い間ご清聴ありがとうございました。

【参考文献】

糸川英夫著『逆転の発想』（ダイヤモンド・タイム社、１９７４年）

糸川英夫著『独創力・他人のできないことをやる』（光文社文庫、１９８４年）

糸川英夫著『「独創力」で日本を救え！』（ＰＨＰ研究所、１９９０年）

小沢征爾著『ボクの音楽武者修行』（新潮社、１９８０年）

クリスチャン・マスビアウ著『動きながら考えろ』プレジデント社出

小柳才治　原作／まんが　つだ有美『モモちゃんのワイン教室』流通情報企画

6 ザ・スズナリ、草創期の驚くべき瞬発力について

野田治彦

⦿野田治彦（のだ・はるひこ）

ザ・スズナリ支配人。1966年東京生まれ。85年筑波大学第一学群自然学類、87年中退。90年ザ・スズナリ勤務。94年文学座懸賞戯曲賞受賞、95年文化庁舞台芸術創作奨励賞受賞。2006年、スズナリを取り壊し、下北沢の街を大きく変える道路計画の見直しを求め意見表明。07年、同計画をテーマに、住民、商業者、来街者、演劇人、アーティスト、学者、世田谷区職員を一堂に会したイベント「SHIMOKITA VOICE」主催。18年、下北沢の地域イベント、「鈴なれ、シモキタっ子！」主催。19年、「『演劇の街』でなかったころの下北沢演劇史」寄稿。（北沢川文化保存の会「論集 下北沢の戦後」）。小田急線跡地（現下北線路街 空き地）に劇団唐組『ビニールの城』誘致。（本多劇場グループ・テント企画）。

はじめに

ザ・スズナリは1981年（昭和56年）、下北沢に開場した小劇場です。本多劇場グループの創始者、本多一夫によりグループ内初の劇場としてオープンし、下北沢が「演劇の街」と呼ばれるきっかけになったといわれています。劇場として新築されたわけではなく、昭和44年に建てられた呑み屋街「鈴なり横丁」の二階にあったアパートを改築してつくられました。外観は、昭和の酒場横丁の風情を色濃く残し、内部には下宿アパートの面影があちこちに残ります。

楽屋や事務所は狭い和室がそのまま使われ、衣装掛けは棚を抜いた押入れです。敷居と鴨居が当時のまま残り、三和土の横には石造りの小さな流しとコンロ。入り口やトイレへ向かうアパート時代の通路は、すれ違うのがやっとの狭さです。このように生活空間の構造をあちこちに残す劇場は、しかし開場以来、多くの演劇人と観客に愛されてきました。

「小劇場のメッカ」
「演劇の聖地」
「若手劇団の登竜門」
「演劇の神様がいる劇場」

いずれも開場以来、スズナリの代名詞として語られてきた言葉です。ありがたいことではありますが、

アパート時代（1979年）の鈴なり横丁（右）と、2000年頃の鈴なり横丁（左）。右の写真で、窓がズラリと並んでいるのが当時のアパート。現在は完全にふさがれています。

不便さも少なくないこの劇場に、なぜこのようなイメージが与えられてきたのか、これまで実証的に論じられたことはありませんでした。

草創期の瞬発力

81年オープン当時、すでに都内には小劇場がいくつかありました。シアターグリーン、文芸座ル・ピリエ、渋谷ジァンジァン、キッドアイラックホール、明石スタジオ、大塚ジェルスホール、銀座みゆき館劇場など。どれも空間的にはスズナリとほぼ同じか、やや小さい程度のものでしたが、それでも右のようなイメージを持たれることはありませんでした。当時の状況を知るために開場から3年間（81〜84年）の雑誌や新聞のレビューを見てみましょう。

●1981年11月20日　an・an

このところ、グッと盛んになってきたような感じがする小劇場のムーブメント。そんな中でも、下北沢の『ザ・スズナリ』には、かなりユニークなイメージを持たされてしまう。いま芝居好きには、このスズナリの存在がちょっと気になる。

●１９８２年11月1日号　ｍiｓｓ　ＨＥＲＯ
本多劇場の先駆的存在ともいえるのがこの「ザ・スズナリ」、酒場街の階上にあるユニークな小劇場だ。開場してからまだ1年半と日は浅いが、すでに東京での演劇活動の中心的な拠点となってしまった。とにかくここに来れば、いま一番エネルギッシュな舞台に出会えるのだ。（中略）結局、混沌としたパワーを求める劇団にとって、下北沢の「スズナリ横丁」の劇場は、とても魅力的な場所なのだ。

●１９８３年4月1日　婦人画報ビューティー
演劇的には処女地の下北沢に、81年春おめみえした、やはりオープン・ステージの小劇場。自立企画、貸し小屋方式取り混ぜて、とりわけポスト・つか（こうへい）の各種新グループの意欲的な公演でなかなかにフレッシュな成果をあげ、この界隈を新しい演劇センターにする先兵的役割を果している。

●１９８４年12月22日　朝日新聞
東京・下北沢にザ・スズナリという小劇場が開場してから、この劇場はいわゆる小劇場のメッカになった感があって、ここで公演を持つことは劇壇内での「市民権」を獲得するということとほぼ等しい意味を持ちはじめている。ザ・スズナリで認められて、それから新宿の紀伊国屋ホールに進出というのが一つのコースになっている。ザ・スズナリがクローズアップされはじめてから、各劇団のアトリエはともかく、他の小さな劇場での公演は影が薄くさえなっている。

●１９８４年・国文学「演劇回廊」第６回

東京・下北沢のザ・スズナリという劇場は、このところすっかりいわゆる小劇場のメッカとなった感があり、多くの小劇場関係者はここで公演を持つことをハレと考えているらしい。観客である若ものたちも、ある劇団のファンであるからということではなく、この劇場での公演だからと集まるケースも多いようで、その意味で劇場のイメージが一番はっきりしているのがザ・スズナリだといっていい。ここには新しい何かが起りそうだという気配がある。劇場としてもっとも大事なチャーム・ポイントであるだろう。

オープン同年に「ちょっと気になる」、１年後に「東京での演劇活動の中心的な拠点」、２年後に「新しい演劇センターにする先兵的役割」、３年後には「小劇場のメッカ」「劇壇内での『市民権』を獲得するということとほぼ等しい」。わずか３年でここまで評されていることは瞠目に値します。私が大学一年の１９８５年は開場４年後にあたりますが、その時点で「ザ・スズナリ」の名は、確かに演劇界に轟きわたっていました。レビューからもわかるとおり、スズナリは小劇場ムーブメントの震源地的なイメージを付与されただけでなく、とりわけ、劇場としてのステイタス上昇の初速が圧倒的に速かったことがわかります。この知名度やステイタスの瞬発力、初速の早さは何に起因したのでしょうか。当時のスズナリを知らない私は、のちに仕事をともにする初代支配人・酒井裕子氏の仕事ぶりや人柄、本多一夫氏の言葉、その他残された資料を頼りにするほかありませんが、なるべく多角的、客観的に論じるために、マーケティング分析でよく用いられる（らしい）、頭文字「Ｐ」の視点を手掛かりにしようと思います。「Ｐ」の選択はいくつかあるようですが、ここでは以下の６つを用います。さらに、独自の視点として「C」も一つ付け加えました。

①place（場所）
②price（価格）
③promotion（宣伝）
④person（人）
⑤planning（企画）
⑥product（製品）
※current（時流）

1 place（場所）

80年代初頭の下北沢には、劇団の稽古場やマルチスペースが二、三あったものの、演劇専用の貸し劇場はまだなく、「演劇の街」と呼ばれるほどの気配はありませんでした。一方、中小劇場の点在した新宿、渋谷、池袋の方は演劇的な活況を呈していて、「下北沢に劇場なんかつくったって流行らないよ」、と当時、本多氏は周囲にさんざん言われたそうです。しかし、スズナリは開場後わずか3年で「小劇場のメッカ」とまで呼ばれるようになりました。

新宿、渋谷という二大副都心からわずか数分の距離にある下北沢は、そのアクセスの良さに加え、副都心にはない利点がありました。街の狭さ、正確にいうと、商業地区の狭さです。新宿、渋谷は広大な商業地区を持ち、幹線道路が他の繁華街への移動を容易にしていたのに対し、下北沢は、駅を中心とした300〜500m四方の商業地区の周りを、ぐるりと閑静な住宅街が取り囲んでいます。観客の多くは終演後、知人友人と芝居の感想を肴にするものですが、狭い下北沢では、偶然、店に居合わせた観客と芝居談義に花が咲いたり、贔屓の役者や芸能人に出会うことも珍しくありませんでした。迷路のような路地は車を遠慮がちに走らせて歩行者天国となり、狭い道幅は大資本の乱立と物価・家賃を抑えて個性的な小店舗を増やしました。歩いて楽しめる街にはサブカル文化やライブハウス、映画館などが集まり、観客の空き時間を満たしました。下北沢がこのような、観劇とセットの付加価値を持っていたということは、開場したばかりのスズナリに強い追い風を吹かせたといえるでしょう。

2 price（価格）

・仕込み　25000円（10時〜22時）
・平日公演　50000円（11時〜22時）
・土休日公演　60000円〜70000円（11時〜22時）

開場時〜1984年までのスズナリの使用料金です。

「スズナリのホール使用料は一日五万円（機材込み）。他のホールの約十万円に比べれば、ほぼ半額と圧倒的に安いのも各劇団にとって魅力だ。」（1983年、東京タイムズ『ヌーヴェル・スペース』）

多くの商品やサービスにおいて価格競争力はとても重要なものですが、しかし、相場の半額というのは、スーパーの客寄せならともかく、唯一の商品しか持たぬ劇場にとっては、採算の危ぶまれるレベルといってよいでしょう。しかも一度設定したら一定期間、その価格を維持しなければならないので、同じ演劇業界からしても驚くべきことであったと思います。このことは本多一夫氏が実業家であり、個人事業主であり、不動産収入を得ていたことが大きく関係していました。つまり、劇場経営自体は採算にあわないものの、飲食店の家賃や不動産収入によって、全体を採算ベースにのせることが可能になったのです。「劇場経営はもうからない。維持費が高くつくうえに、ゴルフ場やパチンコ店と同じ娯楽施設として課税される。ほか（の収入）があるからなんとかやっていけているだけだ。」本多氏は各方面の取材に対し、たびたびそのように答えています。

3　promotion（宣伝）

スズナリオープンのひと月前、1981年2月17日付朝日新聞朝刊に、鈴なり横丁の写真と「本多劇場」完成予想図、本多一夫氏の顔写真とともに、「〝小劇場〟『ザ・スズナリ』来月完成」、「若人の発表の場に」、「飲み屋の2階改造」の見出しに続いて大きめの記事が組まれています。

「シモキタ」の名で若者たちに親しまれている世田谷区北沢に本格的な芝居劇場を目指す「本多劇場」の建設を進めている元新東宝の映画俳優、本多一夫さん（45）は、これと並行して、親しみやすい小劇場「ザ・スズナリ」を造ることにした。「本多劇場」は来秋、完成の予定だが、本多さんら関係者の〝シモキタ文芸復興〟への情熱は、それまでとても待ちきれないらしい。「ザ・スズナリ」は、三月二十日のこけら落としめざして、いま突貫工事中。芝居、映画、コンサート、落語など、自由な発表の場探しに苦労している若い人に、安い使用料で提供するという。本多劇場完成までの〝プレ活動〟でもあるが、その後も存続させる。来秋には「本多劇場」と、同劇場地下の小劇場「本多実験劇場」に「ザ・スズナリ」も加わるわけで、「80年代の演劇界に新風をもたらすのは下北沢」と関係者の夢は広がっている。（後略）

またオープン直前、3月16日付の同新聞には、入り口階段の写真とともに、シモキタの「ザ・スズナリ」、初興行は20日から「黄昏のボードビル」の見出しに続いて、

元映画俳優、本多一夫さん（45）が世田谷区北沢一丁目に建設を進めていた小劇場「ザ・スズナリ」が完成、十五日に開場記念パーティーを行い、若者たちの発表の場として広く開放されることになった。「ザ・スズナリ」は二百人収容。照明、音響、冷暖房完備。小田急線下北沢駅近くの茶沢通りにある飲み屋街「鈴なり横丁」の二階部分にできた。「シモキタ」から演劇界に新風を、と本多さんは本格的な「下北沢本多劇場」を建設中だが、「ザ・スズナリ」はこの本多劇場所属の小劇場で「芸術空間」「実験スペース」とうたっている。本多劇場地下には実験劇場的な小劇場もできる予定だが、まず「ザ・スズナリ」が先陣を切って若者の街下北沢に新風を吹き込むわけだ。（後略）

これらの記事からわかるのは、スズナリは、オープン前から本多劇場とセットで宣伝されていたということです。翌年秋オープンの本多劇場は、すでに建築物として街の中心部に巨大な姿を現しつつあり、客席数約400、個人が約13億円を投じて経営する劇場、戦前の土方与志の築地小劇場以来、との前触れで話題を集めていました。そのオーナーが同じ地に先行する小劇場をつくろうというのですから話題性はありました。同時期、テレビ朝日系列のワイドショー「トゥナイト」でもスズナリは紹介されています。

オープン1年後にも注目すべき promotion がありました。正確にいうと、それは結果的に promotion になったわけですが、1982年6月から8月にかけてTBS系列で放送されたテレビドラマ「淋しいのはお前だけじゃない」でスズナリがたびたび登場しました。主演、西田敏行。脚本、市川森一。大衆演劇一座の芝居小屋としてスズナリが使われ、その印象的な外観が、当時視聴した人々の記憶に今でも残っています。

4　person（人）

土地と劇場を準備し、安い劇場費で貸し出す、いわばハードウェアと価格設定をした人が本多氏であったとすれば、現場で日々、主宰者や役者スタッフとコミュニケーションし、スズナリのラインナップを決めていた人は誰だったのでしょうか。草創期のスズナリにおいて、その存在の大きさから、ほとんどスズナリのステイタスを築き上げた人、といってよい人がいます。初代支配人・酒井裕子氏です。

オープン時30歳。81年から93年まで12年間支配人を務め、ザ・スズナリの知名度をあっというまに演劇界に築き上げげました。私は3年間いっしょに仕事をすることができましたが、やや高めの声に早口で、頭の回転が速く、仕事に厳しい人でした。一方で、お酒大好き、カラオケ大好き、喜怒哀楽がついつい顔にでてしまう人で、笑い話になるような逸話や失言も多く、スキのいっぱいある人でした。多くの劇団員から〝厳しいけど愛情のあるチャキチャキしたおばちゃん〟というイメージで慕われており、「酒井さんにつかまる」という言葉は、飲みの席に連れていかれたり、偶然同席すると、なかなか帰してもらえないことを意味していました。スズナリの防音工事をしたある日、酒井支配人が「店で音楽鳴らしてくるから聞いてて」と階下に行き、私がホールで耳を澄ませていたことがありました。施工がうまくいったのか、かすかに音楽が鳴る程度だったので作業を続けていましたが、なかなか戻ってこないので店に行くと、気持ちよさそうに「天城越え」を歌う支配人がそこにいました。「ごめんごめん」と謝りながら、マイクを放す様子はありませんでした。

酒井支配人を語るときに忘れてならないのは、演劇的な才能を見抜く目利き、審美眼の持ち主、見巧者であったという点です。新しい才能を求めてつねに他劇場に足を運び、面白ければスズナリでやらないかと声をかける。現在、絶大な人気を誇るナイロン100℃の主宰、ケラリーノ・サンドロヴィッチさんは、1988年、スズナリに初登場した前後のことを次のように振り返っています。

「スズナリにかかる芝居はおもしろい、という信頼がありました。（中略）知らない劇団でも観に行ってました。そういう人は僕だけではなかったと思う。（中略）どんな劇団でも借りられる小屋ではない。それを僕は、スズナリで観客として感じていました。ライブハウスにも、信頼できるところとそうでないところがあるんですけど、そこに立てる時点で、あるレベルの査定を通過しているという安心感がありました。のちにそこには、酒井（裕子）さんという劇場の制作さんの存在が大きく影響していたことがわかるわけです。（中略）劇場のスタッフに審美眼のある人がいたから、その団体は知らなくてもチケットを買って劇場に行くという、いわゆる劇場付きの観客が生まれたんだと思います。（中略）旗揚げ公演の『ホワイトソング』を再演した時、酒井さんが観に来てくれたんです。そこから、スズナリの事務所で酒井さんとかなり話をしましたね。どういう作品がやりたいのか、集団としてどうなりたいのかといったことを聞かれて。（中略）だから、酒井さんが自主的に観に来てくれて、声をかけてくれたことで、いろんなことが変わりました。（中略）みんな、酒井さんに怒られたり褒められたりしながらやっていたんじゃないかな。若い連中にとって、そういう人がいるってとても大きなことですよね。やっぱり劇団としては、劇場と一緒につくっている感覚になります。」（ぴあ株式会社発行「演劇の街」をつくった男　徳永京子［著］　本多一夫［語り］）

劇場の魅力が、単に空間だけでなく、人の魅力でもあることを語る証言です。

5　planning（企画）

スズナリは貸し館業務と併行して積極的に自主企画を発信していました。

１９８１年、ザ・スズナリオープニング記念『友部正人スペースシャトルツアー』。日替わりゲストとして中川五郎、加川良、伊藤銀次、佐野元春、谷川俊太郎、あがた森魚、井上陽水、小室等、宇崎竜童など豪華なミュージシャンが出演しました。

1982年、旗揚げ劇団4連続競演（陽炎座、蜉蝣屋、Bee企画、舞夢ミニ・シアター）。文字通り旗揚げしたばかりの無名劇団の競演企画でした。

1983年、「女暦華焔炎戯」と題し、4劇団（俳小、八騎人、岸田理生事務所+楽天団、鳥獣戯画）が、酒井支配人発案の「女」という同一テーマをもとに、それぞれの持ち味を生かして競演しました。

1984年、「新世界聖愚伝」と題し、気鋭の若手劇団5劇団（ネヴァーランド・ミュージカル・コミュニティ、十月劇場、第三舞台、ブリキの自発団、第三エロチカ）が〝近未来〟テーマに競演しました。この企画は演劇界に大きな反響を起こしました。

「八四年の二月から三月にかけて、東京・下北沢の小劇場「ザ・スズナリ」の企画で気鋭の五劇団が「近未来劇」を競演する催しがおこなわれた。（中略）八〇年代を代表する近未来劇が顔をそろえた点でも、この連続公演は忘れがたい。しかも、後述するようにこれらの「近未来劇」には、核戦争後の廃墟を舞台にしたり、人間そっくりのアンドロイド（人造人間）が登場するものもあった。もっぱら「過去」と「現在」を描いてきた従来の演劇とは著しく違った劇世界が出現したのである。」（『日本の現代演劇』扇田昭彦著）

時代精神を先取り、演劇シーンを画するような連続公演を打ち出したことは、スズナリが単なる受け身の貸し劇場ではなく、積極的に創り手と交流し、仕掛けていく〝行動する劇場〟としての存在感を示していたといえるでしょう。

6 product（製品）

劇場における product（製品）を、ここではハードウェア、劇場機構に限定して考えてみます。その良し悪しを決めるのは、一般的には舞台の広さや袖の深さ、タッパの高さ、搬入搬出のしやすさであったり防音性、ゆとりある客席、冷暖房設備、照明音響機材などさまざまありますが、草創期のスズナリにそれらが備わっていたかといえば、要素ごとに異なっていました。

たとえば照明音響設備は小劇場にしては充実していた方ですが、ホールはただのフラットスペースで、タッパは低く、客席は公演ごとに組まねばなりませんでした。防音工事は未だ不十分で、雷雨の音やスナックのカラオケがよく入りました。客席はすべて座布団、しかもぎゅうぎゅうに詰め込むので、隣の人と押し合いへし合いは当たり前。長い芝居になると尻の皮がよじれ、鑑賞環境としてはお世辞にも良いといえませんでした。客席後方に備え付けられたエアコンは運転音がうるさく、セリフや雰囲気の邪魔になるので停める演出家はかなりいましたが、夏場にそれをやると、うだるような暑さに包まれ、手のひらで首を扇ぐ観客が続出しました。もっとも80年代の〝小劇場ブーム〟というのは、そういう窮屈さや暑さも臨場感の一つとして楽しむ雰囲気があったのです。

フラットスペースだったころのホール。現在よりタッパは低く、公演ごとに平台を組んで客席の段差をつけていた。すべて座布団席。

さて、ホール以外の箇所はどうかというと、元アパートらしく、通路の屋根からは雨や光が漏れ、階下の飲食店からはネズミやゴキブリ、時にはヘビが現れて、劇団員に悲鳴を上げさせました。楽屋は六畳と四畳半の畳敷き。下宿部屋の大きな窓を開ければ市井の人々の行き交う姿が見られます。オープンまもない頃は楽屋付近に人がまだ住んでいて、本番中、息を殺して出番待ちする女優の脇を、パンツ一丁の男が普通にトイレに行ったそうです。オープン時といえば、その頃から変わらないのが、建物正面に灯る赤と青の「鈴なり横丁」のネオン、そして、急勾配の入り口階段です。劇場ができる前からあるそれらは、夜ともなれば飲み屋街の看板と相まって、異界への入り口のような妖しい雰囲気を放っています。

このようにおよそ劇場らしくない product はスズナリの大きな特徴であったといってよいでしょう。劇場らしくない劇場というなら、民間の小劇場のほとんどがそうである、と思われるかもしれません。しかし、多くは元飲食店だったりビルの空き店舗だったり倉庫だったり風呂場だったり、つまり商空間を改築したものです。スズナリのように住空間を改築してできた劇場を、私は寡聞にして知りません。「なんとなく落ちつく」「な

アパート時代の六畳間がそのまま楽屋になっている。

にかに守られている気がする」「なんかいいんだよね」。そんなふうに感覚的に語られることの多いスズナリは、住空間の名残の product や、市井の人々の普通の暮らしが舞台、楽屋、ロビーなど、劇場全体に息づいていることが大きく関係しているのではないかと、個人的には思っています。

※ current（時流）

current（時流）は、マーケティング分析用語としては見かけないようですが、スズナリの初速を考えるうえでどうしても欠かせない要素なので、独自の視点としてとりあげます。ここで論じるのは演劇界の時流についてです。いわゆる〝小劇場演劇〟は、60年代に第1世代（唐十郎、鈴木忠志、蜷川幸雄、寺山修司、佐藤信など）が活躍したことに始まり、70年代には、第1世代と全共闘運動の影響を受けた第2世代（つかこうへい、山崎哲、竹内銃一郎、流山児祥など）の活躍へと続きます。その後、80年代に入ると第3世代（野田秀樹、鴻上尚史、北村想、生田萬、川村毅など）が登場してくるのですが、スズナリオープンの1981年は、ちょうどこの第2世代から第3世代への過渡期にありました。新しい演劇の才能と方向性が次々と開花する端境期でもあったのです。第3世代には学生劇団を母体とするものが多く、旗揚げ直後から若者の支持が圧倒的に強いことも特徴的で、バブル景気に突入してゆく社会の、ある種、躁状態に呼応するかのように、過剰な言葉遊びを駆使し、時空を大胆に飛躍する内容のものが多くありました。こうした時流の変化を察知したのか、先行する第2世代はこれまでの創作姿勢にいったんピリオドを打ち、脱皮をはかるかのような仕切り直しを行っています。１９８０年、山崎哲はそれまでの劇団名「つんぼさじき」を「転位・21」に、竹内銃一郎は、自身のペンネームをそれまでの純一郎から銃一郎に改め、劇団名も「斜光社」から「秘宝零番館」に変えています。つかこうへいは82年「つかこうへい事務所」を解散し、流山児祥は84年「流山児★事務所」を設立しました。同時期、「夢の遊眠社」が学生劇団の域を超えて爆発的に観客数を増やし、「第三エロチカ」（80年）「第三舞台」（81年）、「ブリキの自発団」（81年）、「彗星86」（82年）など続々と小劇場界に新風をもたらす勢力が現れ、そこへ開場したのが、ザ・スズナリだったのです。演劇界の芥川賞といわれる「岸田戯曲賞」は、戯曲の文学的価値を評価したものですが、その時代の演劇の革新性や方向性を示す指標でもあります。80年代の岸田戯曲賞受賞者を見てみましょう。

第24回（１９８０）『上海バンスキング』 斉藤 憐
第25回（１９８１）『あの大鴉、さえも』 竹内 銃一郎
第26回（１９８２）『漂流家族』『うお伝説』 山崎 哲
第27回（１９８３）『野獣降臨』 野田 秀樹
　　　　　　　　『比野置ジャンバラヤ』 山元 清多

第28回（1984）　『ゲゲゲのげ』　渡辺えり子
第29回（1985）　『十一人の少年』　北村想
第30回（1986）　『糸地獄』　岸田理生
　　　　　　　　『新宿八犬伝――第一巻犬の誕生』　川村毅
第31回（1987）　該当作なし
第32回（1988）　『ゴジラ』　大橋泰彦
第33回（1989）　『蒲団と達磨』　岩松了

野田秀樹、山元清多をのぞく9人の受賞者が80年代にスズナリを利用していることから、演劇的才能とスズナリがともに歩んできたことがわかります。また、〝小劇場ブーム〟の到来とともに、小劇場の数も増えていきました。左は、キャパシティ100～200の都内の小劇場を開場年順に並べたものです。スズナリが奇しくも、小劇場ブームという新たな潮流の波頭をとらえていたことがわかります。

明石スタジオ（高円寺　1980）
ザ・スズナリ（下北沢　1981）
SPACE PART3（渋谷　1981）
千本桜ホール（学芸大学　1982）
こまばアゴラ劇場（駒場東大前　1983）
タイニイアリス（新宿　1983）

アートボックスホール（高田馬場　１９８３）
駅前劇場（下北沢　１９８４）
ロングランシアター（下北沢　１９８４）
池袋小劇場（池袋　１９８４）
THEATER/TOPS（新宿　１９８５）
ベニサン・ピット（森下　１９８５）
青山円形劇場（青山　１９８５）
SPACE107（新宿　１９８６）
シアターモリエール（新宿　１９８６）
銀座小劇場（銀座　１９８７）
ビプランシアター（新宿　１９８７）
シアターVアカサカ（赤坂　１９８９）

まとめ

スズナリのステイタス上昇の速さ、瞬発力の謎をさぐるために６Ｐと１Ｃを手掛かりにしてきたわけですが、それぞれを関連付けてみると、謎だった初速の理由がぼんやり見えてきます。

・小劇場ブームが始まろうとしていた（current の到来）

⬅

・本多劇場に先駆けて劇場ができるというニュース（promotion が期待感を高めた）

⬅

・近くて、安くて、使いやすい（place と price と product が良い）［★］

⬅

・利用申込み団体が増える

⬅

・目利きの支配人が劇団を選定し、自主企画を仕掛ける（person と planning が勢いをつける）

⬅

・クオリティの高いラインナップが並ぶ

⬅

・スズナリで公演すると一定の審査を通過したとみられる

⬅

・スズナリを信頼する観客が増える

⬅

・スズナリで公演することは、劇団にステイタスと観客動員をもたらす

⬅

・［★］へもどる

単純化した図式ではありますが、この繰り返しが好循環を生み、ステイタスの初速につながったと、分析的には言えるようです。ただし、6つのPをあらかじめリサーチした上でのスタートではなかったことは強調しておかなければなりません。特にplaceやperson・product・currentは、やってみて初めてわかったことも多く、その意味では、幸運に恵まれていたとも言えるでしょう。この講義を受けた学生の中には、7つめのPとしてpassion（情熱）を挙げた人もいましたが、たしかに先の見えない中、自分を信じ、自分のやりたいことを貫いた本多一夫氏のようなpassion（情熱）がなければ、これらの幸運を呼び寄せることはできなかったのかもしれません。

さいごに

これまで主にスズナリの草創期について述べてきましたが、当日の講義では90年代~現在における以下のような論点についても触れました。「時代が劇場に求める変化への対応」、「民間劇場の相次ぐ閉鎖と公共ホールの充実化の中で」、「街との関係の深化」。いずれもスズナリと関連付けて述べたものですが、紙幅の関係上、本稿では割愛いたします。

開場から四十年もたとうかという今日でも、多くの演劇関係者から「スズナリで公演を打ちたい」、「スズナリだからオファーを受けた」、「スズナリの空気感でなければできない芝居がある」といったありがたい言葉をいただきます。それはこれまでスズナリに登場した数々の演劇人の才能に拠るものですが、同時に草創期に関わった人々の開拓精神と奮闘、そしてわずかな幸運の上に成り立ったものといってもよいでしょう。

いつのまにか祀られたスズナリさま

さいごに、ザ・スズナリの楽屋に、それこそ、いつのまにかできた〈神棚〉をご紹介して、この論考を終えます。もともと、スズナリに神棚はありませんでした。しかし、アパート時代に電気メーターの埋まっていた小さな穴に、いつのまにか小道具であったと思われる木彫りの仏像？（はっきり彫られていないので不明）が鎮座していて、劇団員のお賽銭も載せられています。はじめは「仏像」がポツンと置かれているだけでしたが、その後、役者やスタッフの手により、少しずつ祀られていきました。劇場に神棚があるのは珍しくありませんが、スズナリのように、いつのまにか〈ご本尊〉が鎮座していて、演劇人の手によって少しずつ祀られた神棚というのは、おそらく日本全国でも珍しいのではないでしょうか。

7 筆跡診断士という仕事

⦿林香都恵（はやし・かずえ）

（有）匠佳堂代表取締役、ビジネス・コミュニケーションコンサルタント、林式匠の筆跡診断考案者。横浜ゴム㈱を経て、2000年（有）匠佳堂を設立。全国の経営者・ビジネスマンに筆跡診断やエニアグラムによる自己啓発・講演・研修などを行っている。筆跡診断数は約5,200件。講演、講座、開運改善カウンセリングは、生き方が変わるとビジネスマンにも個人にも非常に満足度が高く役に立つと評判。2012年、TBSにてオウム真理教高橋容疑者の潜伏先を唯一正確に分析し評価を上げる。著書『ビジネス・コミュニケーション』（生産性出版）『筆跡を変えれば自分も変わる』（日本実業出版社）『一文字セラピー』（日本文芸社）など多数。

林 香都恵

筆跡診断って?

「筆跡鑑定」は知っていても、「筆跡診断」は知らない方がほとんどだと思います。筆跡鑑定とは、遺書や犯罪捜査に使われる複数の筆跡から同一人物が書いたかどうかを判別するもので、一方の筆跡診断は、書かれた文字の特徴から書いた人の性格や行動傾向を分析するという違いがあり、名前は似ていますが別のものです。

筆跡診断士という職業は、日本ではまだ占いと同じようにサブカルチャーに分類されることが多いのですが、実はヨーロッパなどでは比較的スタンダードな職業です。

日本で最初に筆跡診断を系統立てたのは、日本筆跡診断士協会会長の森岡恒舟氏です。森岡氏は東京大学で心理学を学び、警視庁の嘱託筆跡鑑定人でもあることから、日本における筆跡診断は筆跡鑑定のノウハウから派生して作られました。ですので、共通する部分を多く持っています。

自己紹介をさせてください

私、林香都恵は、日本筆跡診断士協会で筆跡診断を学んだ後、そのノウハウを発展させて、企業経営者や自営業の方の売り上げや対人関係向上をサポートするビジネス・コミュニケーションコンサルタントを主業としております。具体的に言いますと、書かれた文字を分析し、本人さえ気づいていない才能や能力を発見し、文字の書き方を変えることで生き方のクセを変え、無理なく成果につなげていただく仕事です。

「文字で相手のことがわかるのは理解できるけど、文字を変えたら性格も変わるのは信じられない」とよく言われます。確かににわかには信じがたいかもしれませんが、でも本当です。その理由は後から説明させていただきますが、手書きの働きはそれだけではなく、自分を客観視できたり、心を落ち着けたりと、書き方によって皆様に知られていない、いろいろな効果効能があります。その特性を生かすべく私は筆跡診断以外に2つのコンテンツを作り、それらを「林式　匠の筆跡診断」と銘打ち、養成講座を行い全国に広める活動を行っています。

（1）筆跡診断　［書かれた文字の特徴から今の自分を客観視できるメソッド］
（2）一文字セラピー　［たった1文字書くだけで心を平穏に整えるセラピー］
（3）しあわせ美文字レッスン　［成功者の生き方のクセを美文字に変えてレッスン］
※（2）一文字セラピー［商標登録第5921643号］（3）しあわせ美文字レッスン［商標登録第5921644号］は弊社のオリジナル商品です。

このノウハウは自分自身が文字によって助けられたことから生まれました。

私は2000年にパソコンが苦手な経営者やVIP向けのパソコン家庭教師事業で起業しました。「こっそり・じっくり・ゆっくりパソコンをお教えします」というコンセプトが珍しく、マスコミにも多く取り上げていただき、当初ビジネスはうまくいきました。しかしビジネスとは、いつかは廃れるもの。数年後に売り上げが低迷し始めると、私は毎日悩み続けました。

「どうしたら売り上げは上がるのか」「なにがいけないのか」悶々と考えていた時、ふとノートに書かれていた自分の文字が目に入りました。それは筆跡心理学を学んだことがない人でもわかるくらい、貧相で元気のない文字だったのです。

そのとき「ああ、こんな貧相な字を書いている人に仕事が来るはずがない。せめて文字くらい元気に書こう！」と自分を冷静な視点で分析できたことが筆跡心理に興味を持った始まりです。そこから、気が付けば筆跡診断士になっていました。

筆跡診断士になってよかったのは、自分の文字を分析することで、冷静に自分を客観視できるようになり、それによって今まで知らなかった自分を発見できて、直したい性格を変えられたことです。それまでの私は悩みやすく、事前にどんなに情報収集や理論を検討しても、最終的にはその場の気持ちで判断・決断しまう感情依存型で、落ち込むと内にこもるタイプでした。しかし、文字を『ある方法』で書くうちに物事の全体を俯瞰し先を見据えた判断ができるようになり、いつの間にかあまり悩まず動けるようになっていました。といっても、自分のスキルが上がったというより、気持ちが安定しぶれなくなったので落ち着いて良い判断や決断ができるようになったのです。つまり、欠点が1つ克服されたことで、総じてほかのポテンシャルも上がり、引き寄せるものが変わったと感じたのです。

その方法に気づいてからは物事がスムーズに回るようになり、人生のステージが変わっていきました。資金も人脈も何のバックグラウンドもない私が十数年の間、極小市場でやってくることができたのもこのおかげです。迷ったり悩んだりしても字を書くだけで克服できるし、悩んでいることも文字からわかるのですから鬼に金棒です！

「筆跡で自分を変える」ビジネスは大変なニッチ産業です。しかし、日本人は今でも文字を書くことに対してある種の畏敬の念と言いましょうか、「字を書くことは大事」との文化が根付いている国民なので規模は大きくならなくても廃れない確信がありました。実際、今は「心の時代」となり、養成講座などのプロモーションを行っても興味をもってくださる人の数は減ることはありません。昨今は外国の方も漢字に興味を持つ人も増えていますので、案外将来性のあるビジネスかもしれません。

　しかし、その方法があまりにも複雑で難解であってはいけません。前述した私が行った『文字を書くある方法』はとても簡単、老若男女誰でもすぐにできて効果を実感できます。筆跡診断士になって十数年、この方法でたくさんの方が成果を出してくれました。そして今は、講演や講座、個別診断や、執筆を通して啓蒙活動をしています。個別筆跡診断数は5400件（2020年4月現在）に上り、北は北海道、南は鹿児島の企業や経済団体で講演をさせていただき、私のノウハウを学んでくれた診断士が全国に誕生し、ビジネスの場だけでなく、教育や介護などにも活動の幅を広げています。

写真1　講演風景

アート・プロデュースから見た筆跡心理学

　私が普段行っていることは「ビジネスとマネジメント」のカテゴリに属するものですが、私が世の中にお伝えしたいことはこのジャンルだけではなく、より人間の根本に関わる深いものではないかと常々思っていました。でも以前は、なかなかそれをうまく表現することができなかったのです。

しかし、境新一先生の『アート・プロデュースの技法』を拝読したとき、自分のやりたいことの枠組みはまさにこれだ！　と気づかせていただきました。

アート・プロデュースの枠組みとは、知的財産を含むアートとビジネスの新たな組み合わせを探り、現場でプロデュースとマネジメントを一体的に行う価値創造の在り方、アート・プロデュース&マネジメントが目指される方向である。

境新一著『アート・プロデュースの技法』（論創社）から抜粋

アート・プロデュースの裏にある3つの概念、「価値論」「五感」「ネットワーク構築」、この中の「五感」の脳科学の部分を深堀していくと、筆跡心理学というジャンルがなぜ他の自己啓発メソッドと違うのか、そもそも私がなぜここまで筆跡心理学に傾倒していったのかの理由が書かれていました。

「字を書く行動」を起こすと

⇓私たちの無意識の情動に刺激が加わります。

⇓「快・不快」を伴う感情（意識）に変化が生まれます。

⇓「快」から発生する感情には「感動」があり、

⇓感動には「意外性」「なつかしさ」がある。

・意外性とは
それまでの見方が新しい見方へ転換し、見方を変えて物事をとらえ、解決した際の解放感や感動体験を指す。
・なつかしさとは
「郷愁」というよりも、物事を自らの暮らしや人生に感情的に引き寄せたり、照らし合わせたりして起こる心の騒ぎ、引き寄せた結果の神羅万象との一体感、自己体験との照応、「大きな物語」との連携などにより起こされる深い感動体験。

「意外性」「なつかしさ」はまさに筆跡心理学そのものです。字を書くという行動の裏には様々な経験や思い出が積み重なっています。「文字を書く（行動）」の目的は「相手にメッセージを伝えるため」ですが、実はその行動の裏に書き手の気持ちや生き方・心理状態が隠されていると知ったとき多くの人は驚き、文字に対して今までと違う関心を持ち始めます。書き手の立場から見ても、文字を通して自分や他人を客観視できることに気づけたり、鉛筆などを使って文字をていねいに大きく書く行動は懐かしさとともに、心の平穏が取り戻せ、なんともいえない「感動」を味わうことができます。
まさに筆跡心理学はアート・プロデュースです！

書きグセには生き方のクセが表れる

「書は心の画なり」ということわざがあるように、手書き文字には書き手の心理状態が表れます。筆跡心理学を学んだことがない人でも、文字から相手を分析・評価することは無意識に行っているのではないでしょうか？

例えば、党首討論会で政治家が書いた提言が小さくて筆圧の薄い文字だったら「この政治家本当は自信がないのではないだろうか？　投票して大丈夫か？」と思うでしょうし、乱暴で雑に書かれた詫び状が届いたら「この人は詫びる気持ちがあるのか？」と疑問がわきます。また、私たちは手書きで書かれた焼酎や日本酒のラベルを見て「このお酒はこだわって作っているんだろうな」「質が高くておいしそうだな」とイメージして購入します。字を書く機会は減っても、私たちは手書きに込められたその人（モノ）の性質やクセや思いを自然に受け取って生活しているのです。

私たちは文字を習うときの環境はほとんど同じです。同じような書体で書かれた教科書や学習教材・鉛筆やノートを使って文字を学びます。でも、そうやってINPUTされた情報が脳に命令を送り、手を通して文字にOUTPUTされると、誰一人同じ文字にはなりません。これ、不思議だと思いませんか？

書写能力の有無も多少ありますが、脳から手を通すことでINPUTされた情報が変わる、つまり、脳のクセがOUTPUTの情報を作っているということです。そこに生き方のクセ（性格や考え方のクセなど）が入っていると筆跡心理学では考えています。

手書き文字からは、書き手の以下の5つの情報を得ることができます。

1．書いた人の性格　2．考え方のクセ　3．行動傾向

4．深層心理　　5．書いたときの心身の状態

かなりたくさんの情報が手書きからわかります。

1．筆跡から書いた人の性格がわかるのは理解しやすいかと思います。2．考え方のクセとは、いつも考えていることで、3．行動傾向と連動しています。例えば「常に注目されたい！」と思っている人は、常に自分の服装や言動、振る舞いが人目を引くよう工夫したり、人がいるところでどのような立ち位置にいるべきか、誰と付き合うべきかなどをいつも考えて行動しているので、何も考えていない人より、人目を惹きやすくなります。4．深層心理とは、自分でも気づいていない無意識の自分。5．書いたときの心身の状態は、お腹が痛い時は元気のない文字になるし、気分が高揚していてワクワクしているときは、踊るような文字になったりと、その日その時の書き手の状態がまるでＭＲＩを取ったかのように表れます。

いつも書いている文字なのに「今日はいい字が書けるな」と思う日とそうでない日があったり、落ち込んでいる日は文字に力が入らなかったり、好きな人の名前を書くとドキドキしたり、その時々で文字に変化が生まれるのは誰もが経験していることだと思います。

しかし、よく考えれば文字はただの線の組み合わせ、単体では意味のないもののはず。なのに、文字になると「思い（言霊）」が入る。例えば、「好き」と書いたらそれだけでドキドキするし、「死ね」と書いたら誰ともなしに書いたとしても緊張が走ります。私たちは無意識のうちに文字に思いを込めて書

いています。さらに言えば、文字を構成している線一本一本にも意味があり（例えば、ハネをしっかり書く人は粘り強いなど）、そこから書きグセが生まれます。筆跡心理学はそのような線の特徴と、その人の文字に対する思い（言霊）を分析していくものです。

それらを考慮することで、書き手の心情や考えていることの分析が可能になるわけです。もっとも分析しやすい文字は、本人が書いた自分の名前です。名前は一番書く頻度が高く、自分にとって最も思いのこもる文字だからです。自分で書いた名前には自分の生きざまが現れるといっても過言ではありません。

私たちは自分の名前を書いているときは無意識のうちに自分のことをイメージしています。だから、自己肯定感が低い人の文字は小さく紙の端に寄っていたり、筆圧が弱かったりすることが多く、反対に自己肯定感の高い人が書く名前は、大きくて筆圧が強く紙の真ん中に堂々と書かれることが多いのです。

また、書かれた名前の苗字と名前のバランスにもその人の生き方が表れています。苗字を大きく書き自分の名前が小さい人は、苗字（家族・組織）を大事にする傾向があり、名前が大きい人は自分を大事にしている人であることが多いです。以前、地方の大きなホテルの40代の女性経営者に名前を書いていただいたところ、苗字が極端に大きくて、自分の名前がとても小さく筆圧も弱かったのです。そこで、苗字と名前の大きさの意味を説明したところ、嫁いできて10年目にご主人が亡くなり急遽自分が後を継ぐことになって、まずは家族を守るためホテル経営のことだけを考えてきたとのこと。そこで「その意欲は大変ご立派ですが、自分を大事になさらないと、疲弊してしまいます。経営者は自分のコンディションをまず最優先に考えて、どんな時でも最善の自分でいられるよう、お名前を大事に書いてあげてください」とお伝えしたら「そんな風に考えていいんですね。とても気持ちが楽になりました」涙されたことがありました。

文字の大きさは行動力を表します。ですので、文字を大きく書ける人は外にエネルギーが向きやすいタイプ、「営業」「リーダー」「経営」などの仕事が向いています。一方、小さな文字の人はエネルギーが内に向くので、「クリエイター」「小説家」「ホテルマン」のような仕事が向いている傾向があります。しかし、「〜だから〜ダメ・無理だ」と限定的に決めつけるのではなく、「小字型の人でも、大字を意識して書くことで度胸がついて行動的になれる」と、意識して書き方を変えると生き方も変わっていくのです。このように書き手が思う生き方にいかようにでも対応できるのが筆跡心理学の面白いところです。

手書きをやめない方が良い理由

ＩＴやＳＮＳの発展で手書き文字が激減しています。それによって「漢字が書けなくなった」と感じる人は多いでしょう。その理由はお判りでしょうか?

文字は脳からの指令による行動の一つです。私たちは文字を「目で見て」覚えたように錯覚しているのですが、実は「手で書いて」覚えているのです。子供の頃、背中に字を書いて「なんて書いた?」と当てる遊びをした人は多いと思いますが、あれは文字を見ていないのに答えることができます。これは文字を指や腕の動きから脳に記憶させているからわかるのです。今は字を書かなくなり、その運動を行わないので脳に指令が送られなくなり、目で見る字は読めるけれど、手を使う文字を書けなくなってしまいました。

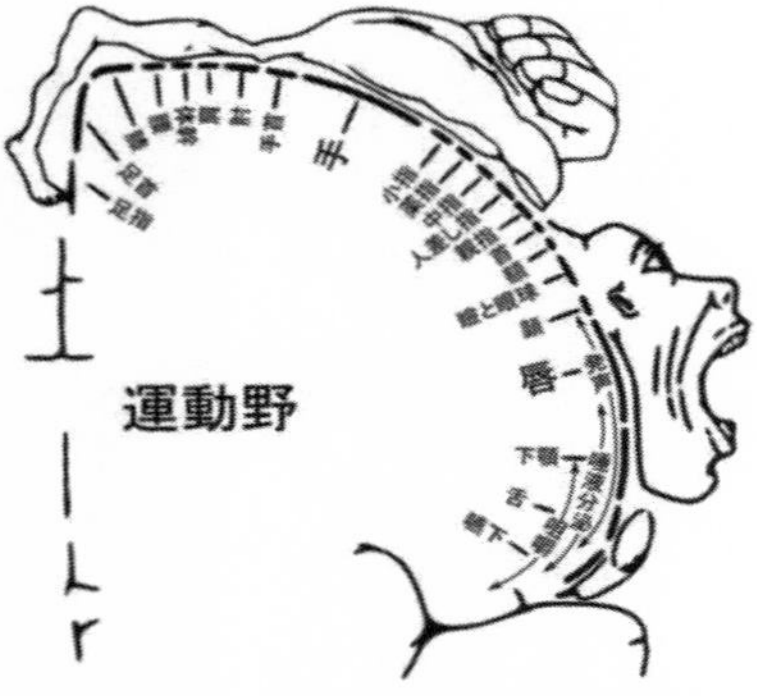

図1　ペンフィールドの体部位再現
『脳科学大辞典』田岡三希（独立行政法人理化学研究所 脳科学総合研究センター）

そして、字を書く時のペンも正しく持つことにも意味があるのですが、昨今の学生さんや若い方のペンの持ち方がとても気になります。

ペンを持つときには、親指の腹を使うことが大事だと言われています。カナダの脳神経外科医ペンフィールド氏の「体部位再現」は、親指がほかの指よりも大事であることを検証したものです。

運動野においては、ペンフィールドが行った方法と同様に脳を電気刺激し、どの体部位に運動が引き起こされたかを調べる方法で、体部位再現が研究されてきた。ペンフィールドは中心溝の前方の領域に第一次体性感覚野とほぼ並行した体部位再現が存在することを明らかにした。Woolseyらはマカカ属サルの脳に電極を刺入し、電気刺激よって引き起こされた筋肉の収縮を観察し、第一次運動野の体部位再現を明らかにした。これらの実験は、大脳皮質の第一次運動野に身体部位特異性がある事を明らかにした点で重要である。

つまり、ペンを持つときに親指の腹を使って書くと大脳の運動野が刺激されているのです。脳トレをしているといっても良いかもしれません。ですから、せっかく手書きをしているのにペンを正しく持たず、親指の腹を使わないで字を書くのは大変もったいない行動であると言えます。正しくペンをもって

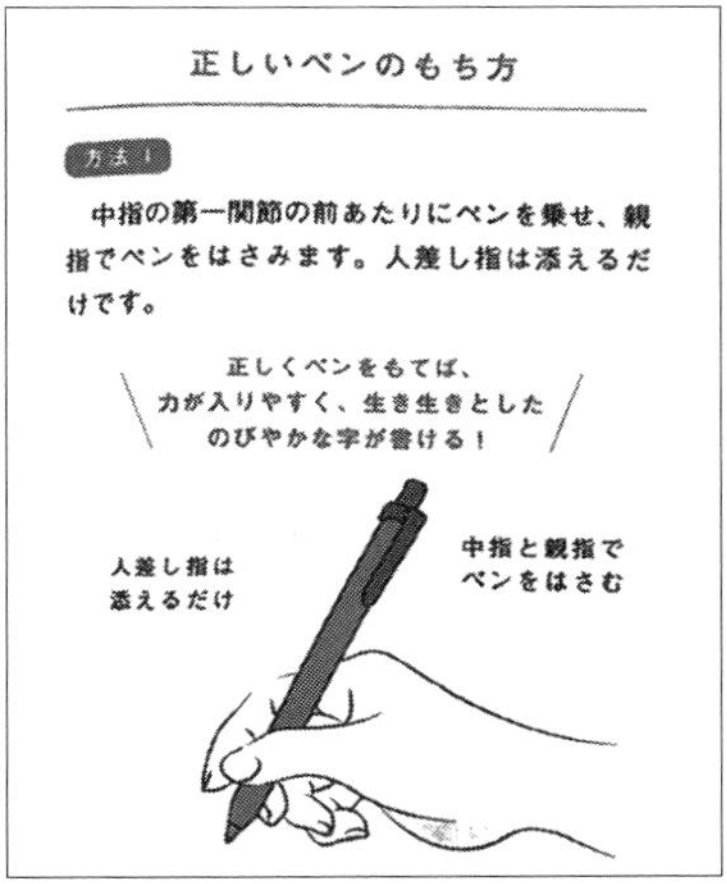

図2　正しいペンの持ち方
拙著『しあわせ美文字レッスン』
（日本文芸社）

書く際は小さな字を書くよりも、大きなストロークを使って大きな文字を書いた方が脳への刺激も大きくなります。

さらに言うと、字を書く時の姿勢に気を付けること、筆記用具を選ぶことも脳を刺激し健康に良い行動です。

実は意外と知られていないことですが、書道は身体によいのです。その証拠に歴代の書道家は総じて長生きの傾向があります。

王羲之（西暦303年－西暦361年）は享年58歳。
欧陽詢（西暦557年－西暦641年）は享年84歳。
虞世南（西暦558年－西暦638年）は享年80歳
顔真卿（西暦709年－西暦785年）は享年76歳。
柳公権（西暦778年－西暦865年）は享年87歳。

この時代からすれば驚異的な長生きだったと言えます。

現代では、1913年生まれの書家　篠田桃紅さんがいらっしゃいますし、インターネットで「書道家は長生き」と検索すると、９０代以上でまだ現役で書道教室を開いている方が何名もいらっしゃいます。なぜ長生きなのでしょうか。

書道は、美意識はもちろん、大変な集中力を必要とします。そして、体力や気力も以外に必要です。それらをすべて研ぎ澄ませていると、肉体はもちろん、脳もなかなか衰えないのだと思われます。その他に、墨をすったり、半紙と文鎮をセットする、筆をとるといった「間」を伴う振る舞いが脳に良いという説もあります。

写真２　背骨が曲がっている姿勢

字を書く行為全般に言える身体に良い点は「姿勢」です。現代人は姿勢が悪い人が多いです。姿勢が悪いと何がいけないか、それは背骨が曲がってしまうこと。紙を斜めにして字を書いたり、身体の中心に紙を置かないで書くと、背骨は曲がります。背骨が曲がると呼吸をしても酸素が深く身体に入っていきません。すると、体内は酸欠状態になり血流も悪くなり、脳にも酸素が足りなくなるので集中力が切れやすくなります。一方で、背骨をまっすぐにして字を書くと、酸素が入りやすくなり、脳にも血液が届きやすくなるので、集中力が続くといわれています。

弊社では講座や個別診断に来た人の字を書いている姿を写真に撮ってお見せすることがあります。すると自分のあまりの姿勢の悪さに驚き、すぐに姿勢を正して字を書いてくれます。書道家は凛とした姿勢で字を書いています。猫背で字を書いている方はいません。姿勢を正しく字を書くのは単に美しさだけでなく、身体にもよいからなのです。

筆記用具は字を書く際の需要なアイテムとなります。書き心地が悪く不快感があると筆は進みません。しかし、書き心地の良い筆記用具なら、気持ちよく筆が進みます。日本語（漢字）は、トメ・ハネ・ハライといった微妙な力加減を要求される言語ですので書き心地はとても大事です。しかしながら、脳にとってどうかというと、どの筆記用具でも同じ効果があるわけではありません。

パソコンの普及によって、紙に文字を書く機会はめっきり少なくなりました。

（中略）しかし、脳への刺激という点では、パソコンは手書きには遠く及びません。

パソコンを使っているときは、脳をフル稼働しているようなイメージがありますが、実は手（指）の動きは限られており、運動系脳番地はわずかしか使っていません。

一方、鉛筆やペンを使って字を書くと、脳は手の動きを細かく指示しなければならず、広い範囲の脳番地を使います。

（中略）また、パソコンで書いた文章は、文字のサイズは書体が統一されて出力されますが、手書きの場合は、その時々の心理状態が文字の形に大きく反映されます。焦って書けば文字が雑になりますし、リラックスして書けばきれいな文字が書けるでしょう。大事な書類であれば、文字が雑にならないよう、緊張感を保ちながら書こうとするのではないでしょうか。

つまり、手で文字を書く際には、さまざまなことに配慮しなければならないのです。

このように「書く」という行為は、脳番地の成長に良い効果を与えてくれます。

（中略）なお、筆記用具は、ボールペンではなく、鉛筆や万年筆を使うことをお勧めします。鉛筆や万年筆は、書く時に先端を微調整しなければいけません。
この微調整が、指先の脳番地のトレーニングにはもってこいなのです。

加藤俊徳著『脳の教科書』（あさ出版）より抜粋

弊社では、気持ちよく字を書いていただくために『心が整う文房具キット』をオリジナルで制作しています。内容は、濃く書けて筆圧をかけても簡単に折れない鉛筆と書きやすいボールペン、正しく持ちやすくなる三角グリップ、そして、圧をかければかけるほどクッションが心地よい下敷きのセットです。これを使って字を書くと「気持ちいい！」「たくさん書きたくなる」と言っていただけます。

この文房具キットは「心地よく」「自分のエネルギーを感じられる」ことを目指したものです。鉛筆は他の筆記用具に比べて自分のエネルギーや気持ちが最も表れやすい、いわば原始的な筆記用具です。だからこそ、鉛筆で書くことで自分の今の状態を感じることができます。

興味深いことに様々な筆記用具を用意して字を書いてもらうと、元気な人は太くて筆圧をかけられる筆記用具を選ぶ傾向があります。元気な人は大きな文字を力強く書きますから、細いものでは物足りず、太い筆記用具で大きくダイナミックに書くことが気持ち良いと感じるのでしょう。

数年前、某女性誌の編集長と美容研究家の先生、そして女優の藤原紀香さんの筆跡診断をさせていただいたことがありました。編集長と美容家の方は細い万年筆で書いたであろうと思われる上品で女性らしい文字でしたが、藤原紀香さんだけはサインペンのような太い筆記用具で力強くお書きになっていて驚いた記憶があります。そして、この方はただ美しいだけの人ではないのだなと思いました。実際、筆跡特徴も女性らしい特徴はあまりなくて、飾らないサバサバした明るい方の筆跡でした。編集担当の方にも診断結果は「その通り！」とおっしゃっていただき、人は外見だけではわからないものだと思いながら、藤原紀香さんに好印象を持ちました。

私たち日本人には普通の感覚ですが、日本語の字体・字形は、トメ・ハネ・ハライがあり、これを書くためには実は指先の微妙な感覚が必要とされます。文字を書く文化が継承された長い年月に培われてきた、この指先の間隔こそが、日本人が器用で繊細な国民になれた理由ではないかとも私は考えています。アルファベットにはこのような微妙な動きはありません。

ところで、日本人は漢字を何文字くらい書けると思いますか？

漢和辞典に収録されている漢字は5000文字、一般的な成人が書ける文字の数は3500文字程度。書けない人でも2000文字と言われています。この数字を聞いてすごいと思いませんか？　それに比べてアルファベットは26文字。大文字小文字を入れてもたった52文字です。欧米人は日本人がこれだけの文字を書けることは驚異的と思っています。

我々日本人は漢字を構成している部首の役割とルールを知っているから、たいしたことではない感覚でいますが、それでもこれだけの数の漢字を記憶して書けるのは、脳の働きが欧米の人より優れていることに他なりません。

脳の発達や活性化、身体にも良い、アートとしての文字、情操・手先の器用さなど、文字を書く効能は限りなくあります。情報社会の中で手書きが廃れてしまうのはとても残念なことだと感じます。

しかし、仕事の中で取り入れるのは難しくても、これからの「心」の時代、人の心を穏やかにし、自己肯定感を上げるツールとして手書き文字の新しい役割をもっともっと世の中に知っていただきたいと考えています。

筆跡心理学はこんな場所で使われています

弊社が携わっていることだけでも、筆跡心理学には以下の用途があり、様々なシーンで使われています。

●自分自身（自己啓発）
⇓　自分ではなかなかわからない本音や自分の生き方のクセを客観視。
⇓　文字を書いて心を穏やかにする。（マインドフルネス、ストレスレス）

●ビジネス
⇓　人事・採用・人材配置
　どんな人物かはもちろん、自分の会社に合う人材なのか、どんな職種が合うのかを見ることができる。
⇓　セールス、プレゼンテーション

カルテや申込書からお客様の心理状態を把握してクロージングに役立てる。
自分の心を落ち着け最高のセールスやプレゼンテーションにする。

⇓　コミュニケーション、マネジメント

上司・部下・得意先の性格や状態を把握する。
経営者・管理者のマインドセットに。

- 教育

⇓　子供の特性

才能や魅力の発見、長所・短所の見極め、心を鍛え試験や試合に強くなる。

⇓　教職員、ＰＴＡ

お子さんの分析はもちろん、親御さん教師の心を整えることでよい影響が。

- 介護・医療関係

⇓　高齢者・障碍者のリハビリ

寝たきりの方が文字レッスンをすることで起き上がり、散歩ができるまでに回復した事例もあります。軽度のうつや不登校、統合失調症の改善にも。

⇓　介護家族

介護疲れのあるご家族のストレス軽減に。

⇓　介護施設・スタッフ

デイサービスのワークとして。スタッフさんのストレス軽減として。

●その他

⇒ 結婚相談所などで、自己肯定感を上げるためのワークとして。

⇒ 殻の巣症候群になったお母さんの心をいやすワークとして。

など。

個性的な手書きはすばらしい！

日本人は手書き文字を「きれい」「きたない」「うまい」「へた」の4つに分類したがる傾向がありますが、筆跡心理学ではこの要素は全く重要ではありません。

日本人はきれいな字にこだわる人が多いです。(きれいな文字の定義もあいまいですが) もちろん字はきれいであるのに越したことはありませんが、筆跡診断士の立場から言えば、美しく書くことにとらわれて本来その人が持っている魅力が損なわれては意味がないと考えています。型にこだわりすぎて縮こまった文字を書いている人は、その人の本来の魅力や才能を発揮していない可能性があるからです。

書き方のクセには生き方のクセが表れます。だから、文字に現れる書きグセはかけがえのない個性です。筆跡心理学は、その個性を人間力の向上につなげるという考え方です。みんな同じにする必要はありません。

思ったことをすぐ行動に移すタイプの人が、「他の人と同じようにお手本通りに書きなさい」と言われたら苦痛やストレスが生じて、その人本来の良さが出なくなってしまいます。しかし、日本の組織では、型どおりに書けない、思うようにできない、他の人と違うと、自己否定・他者批判が起こりやすい傾向があるように思います。社員研修などで筆跡診断を行うと、上司が「お前の字は汚いな」「ダメじゃないか」とひやかして言う場面が多いのですが、とても残念です。せっかく個性にフォーカスを当てようとしているのになぜそれを否定するのでしょうか?

後述する「健全度」に関わる部分ですが、文字は書きたいようにのびのび書くことが一番大事。なのに、それさえできない委縮した人がとても多いです。このような人は、まじめできちんとしている一方、深層心理には「きれいな字を書いてすごいと思われたい」「ちゃんとした人と思われたい」「型どおりにしていれば安心」といった、外からの視点を気にする傾向があります。

きれいな字を書くことを批判しているわけではありません。きれいな字を書くこと自体は素晴らしいのですが、目に見えるところにこだわりすぎて「美文字が書けない自分はだめだ」と、ネガティブにとらえる人が多いことを懸念しています。それより今の自分を認めてほしいです。

日本人がペン字レッスンにあこがれるのは、きれいな字を書くことで、見本のような尊敬の対象となり「安心」できる心理が強いせいではないかと思います。日本人は型から外れたものや少数派を認めない文化があり、それは今注目されている「ダイバーシティ（多様性）」と相反するのではないかと常々思っています。手書きは個性豊かでみんな違うから面白いのです。その違いを認め合える文化になってほしいものです。そのためにも筆跡心理学をもっと広めていかなければ！　と思います。

私は筆跡診断士として様々な手書き文字を診断してきました。その際興味が湧くのは、悪筆癖字と言われる個性的な文字に出会ったときです。このような文字を書く人は、ユニークな個性や才能を持っていたり、周囲の評価より「私はこう思う（こうしたい）！」と強い意志をもっている人が多いからです。

欧米人で字をうまく書こうと思っている人はいるでしょうか？　多分、ほとんどいないでしょう。サイン社会の彼らが字を書く時大事にしているのは「型どおりのきれいな文字」より「自分らしさ」です。字を見ただけで「あ、これはマイケルのサインだね」と分かってもらう必要があるのです。だから、自分がしっかりと主張できる個性的なサインを書きます。日本のようにお手本を真似るといったことに主眼を置いたりはしません。それが個人主義の国の特徴でもあり、自己主張をしっかりしていく国民性が表れています。

たかが文字、されど文字で、私は人の目を気にしてどんぐりの背比べを推奨する日本の教育方法では、今後、日本は世界から遅れをとってしまうのではと懸念します。型にはまったお手本通りの「美文字」を良しとする国民からは、ユニークなアイディアやパワフルな企画や発想は生まれません。アイデンティティを求める人は海外に行ってしまいます。漢字という素晴らしい伝統文化は世界からのあこがれです。それを時代に即した形で受け継いで、日本人の活力としていきたい。そのためにも個性的な文字をのびのびと書くことが大事ではないでしょうか。

余談ですが、先日1980年代の大企業の入社式と、2019年の入社式の比較写真を見て驚きました。1980年代は、女子社員が様々な色や形のスーツ・ワンピースを着てにこやかな表情なのに、2019年は全員が黒いスーツに白いブラウス、立ち姿までみんな同じ。なぜここまで同じスタイルなのか？　この国はこれからどうなっていくのか、思わずぞっとしたのは私だけでしょうか？

文字で健全度がわかる

健全度とは、書いた人の心身が良い状態かを見ることで、筆跡診断において、「個性（魅力・才能）」以外にもう一つ私が注力しているものです。健全度を大事にしている理由は、たくさんの魅力や才能が筆跡診断でピックアップされても、健全度が低ければその魅力や才能はいい形で発揮されていないことになるからです。

健全度を計る主なポイントは「文字の大きさ」「筆圧」「線の勢い」です。文字の大きさは「行動力」を表し、のびのびと動き回る行動的な人の文字は大きい傾向があります。筆圧は「書き手のエネルギー」。元気いっぱいなのに筆圧の弱い人はいません、無意識のその人の力と言っても良いでしょう。勢いは文字通りその人の「勢い」です。情熱や活力にあふれている人の行動は早く、メリハリがあります。一つのことをやりながら次のことを考えていたり、浮かんだことを忘れないよう「早く次の行動に移りたい！」と思っているので、もたついた字は書きません。線にスピード感や伸びやかさがあります。

個性豊かな文字を健全度高く書いている人には、遠慮せず自分らしさを発揮している人が多く、成功している経営者に多く見られます。情熱・気力・体力・健全度が高く、やりたいことを思ったように行動できる強さを持ち合わせているから、他人に何と言われようとあきらない、だから本来持っている力が発揮され成功しやすいのです。

一方、個性的な文字だから「恥ずかしい」と小さく薄く書いてしまう人は、自分の良さを認めていなかったり受け入れていない人に多く、筆跡診断士からすると「もったいない」タイプになります。同様にきれいな字を書いているのに、小さくて弱弱しく勢いのない字を書いている人も持っている力を出し切っていない「もったいない」人です。

また、普段はそうでもないのに、心身の状態が良くないと一時的に文字の健全度が落ちることもあります。体調が悪い時、力強く伸びやかな文字を書けない経験は誰にでもあると思います。心がつらい時、たとえば、いじめやＤＶに遭っている人の文字も苦しそうになることが多いです。自殺者の遺書をＴＶなどで見たことがあると思います。あの文字もいかにもつらそうな字で書かれています。自己紹介で書いた売り上げが落ちていたときの私の文字もしかり。しかし、それが本来の素養でない場合は、問題が解決するといつの間にかすっきりとした文字に戻っていたりします。

文字を構成している線には意味がある

私たちは普段、何気なく文字を書いていますが、実はその文字を構成している線一本一本には意味があります。筆跡診断でその意味を紐解いていくと、書き手が今なぜその文字を書いているのか、さらに言えば、書き手の今の生き方や状態を分析することができます。

《今の自分を知るワーク》

「京」という字を大きめに書いてみてください。

「口」という文字の閉じられた空間（閉空間）は書いた人のエネルギータンクと言われており、元気いっぱいの人の閉空間は大きく、元気がないときは小さくなるといわれています。小学校低学年のお子さんが書く「京」は、左のような文字が多いです。元気いっぱいだけれど頭でっかちでかっこいい字ではない。年を重ねるにしたがって右のように頭が小さく足が長くスマートになっていきますが、一方で体力・気力も減退していくのが一般的です。しかしながら年を重ねても左のような字を書いている人は気持ちが若い人に多いのです。

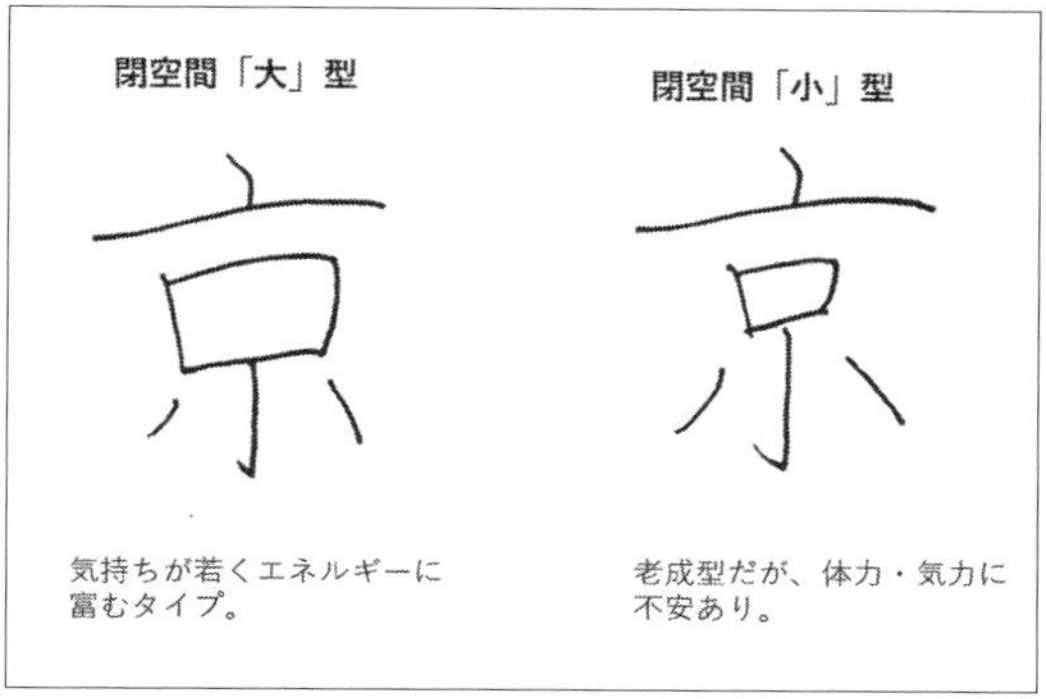
閉空間「大」型
閉空間「小」型
気持ちが若くエネルギーに富むタイプ。
老成型だが、体力・気力に不安あり。

図３　ワーク解説

いかがでしたか？　ぜひ昔のノートや手帳を見て、「口」の大きさを比べてみてください。悩み事やつらい時期の「口」は、普段より小さく弱弱しくなっていると思います。「田」「東」などの口がつぶれていたりすることもつらさの表れだと言われています。心理的に元気がない時は気力が落ちて投げやりになっているのでこのような空間を大事に書くことができなくなる傾向があるのです。このような理由から精神的に追い詰められている人の文字は空間がゆがんだりつぶれる傾向があります。

筆跡診断士としての私の仕事は、文字から書き手の個性（魅力・才能）・健全度を分析し、その意味を説明して今の自分を受け入れてもらうことです。健全度さえ上がれば、本人のポテンシャルは総じて上がるので、元気な文字さえ書ければよいのですが、大変残念なことに自分を悪筆癖字だと気にする人はとても多く、私から見れば悪筆でも癖字でもないのに自分の文字はダメだと恥じたり、嫌悪する人も多いです。これは自分自身や自分の魅力・才能を否定しているのと同じ、とてももったいないことです。

ちなみに元気が出ないときには、10％くらいでもよいので意識的に閉空間を大きめに書くのがお勧めです。閉空間を大きく書くと文字が明るい印象になり、その文字を自分の目で確認することで安心し、気持ちに変化が生まれます。

のびのびと大きく気持ちよく書くだけで人生が変わる

繰り返しになりますが、私が提案している筆跡診断では、お手本通りに書くことを推奨していません。好きなようにのびのび書いて構わないのです。

文字を書くことで今の自分と向き合い受け入れることができれば、本来持っている魅力や才能を自然と発揮できるので、成果を出しやすくなります。楽しく字を書くことができるので健全度が上がり、常に良い状態をキープできるようになります。

以下は、私が自己紹介で書いた、自分を変えた『ある方法』で、現在弊社で行っている筆跡診断のやり方です。

《林式　匠の筆跡診断手順》

（1）［現状分析：今の自分を客観視］自分の名前をいつも通り書いてみる
（2）［改善策：生き方のクセを変える］心を整える文字を書く
（3）［改善効果確認：ポテンシャルの上がった自分を感じる］もう一度名前を書く

（1）［現状分析：今の自分を客観視］自分の名前をいつも通り書いてみる

名前は今の自分を映す鏡です。まずは、いつもの目線（主観）ではなく、書かれた紙を目線の高さで離れて見てみると、自分の文字の印象が変わります。それが自分を客観視したということ、いつもと違う自分を発見できます。

文字の健全度は、目線の高さから見た時が一番わかりやすいです。パッと見て「元気そうに見えるか」がわかればよいのですが、なかなかわからない場合は、何日か同じように名前を書いてそれを並べて壁に貼ってながめてみると、同じ文字なのに日によって元気そうな日とそうでない日があることに気が付きます。

次に書き手の性格やクセを分析します。筆跡診断では75個の筆跡特徴があり、それを使い、この人の伸ばすべき個性・魅力・才能と、成長を妨げている要素をピックアップしながら総合的な人間像を浮かび上がらせていきます。

（2）［改善策：生き方のクセを変える］心を整える文字を書く

いくら素晴らしい個性や魅力が筆跡特徴に表れていても、それを受け入れていなければ成果を出すことは難しいのです。このような方はいくら筆跡診断で「この書き方にはこういう良い意味があるのですよ」と褒めても「でも、私の文字は汚いからダメです」と、自分の欠点に意識が向いて、長所を伸ばす方向にエネルギーが使えないからです。

常に心がザワザワしている忙しい現代人が周りの目を気にせずに、ゆったりした気持ちになって、今の自分をそのまま受け入れるためには「心を穏やかに整える」ことが何よりも大事です。

たくさんの筆跡診断の中でうまくいく人の文字には傾向があることに気づいたことで、「書きグセを変えることで生き方を変える」逆説の方法で、漢字を1文字書くだけで心を整える『一文字セラピー』を開発しました。

漢字の意味や成り立ちを理解しながら、1文字書くだけで心が落ち着くとても簡単なセラピーです。うまく書く必要もなく、ただゆっくり・ていねいに・大きく・力強く書くだけ。

図4は一文字セラピーの実例です。「景」は夢や目標をあきらめてしまいそうなときに書くと良い文字です。

• 理由

夢や目標をあきらめてしまう人とは、直近の失敗や飽きっぽいなど、目先のことしか考えていない人に多い。「景」は、太陽に照らし出される景色、様子という意味があり、「景色」「光景」「風景」「景気」など、広い範囲の意味を表す言葉。遠くを視野に入れて行動するとうまくいく。

• 書き方のコツ

「景」は、「京」の横線（地平線）を長く書くのがポイント。

夢をあきらめてしまいそうなときは、「日（太陽）」の上る「一（地平線）」まで行ってみよう。でも、そこは遠いから「口（エネルギータンク）」を大きく書いて元気を充電し、「ハネ（粘り強さ）」をしっかり書いてあきらめない！　そうすることで「ハ（華やかなステキなこと）※」がきっと待っている。

※「ハ」の間隔を広く書く人は華やかなことが好きな人に多い書き方。

右が普段の文字、左が上記レッスンをしてから書いた文字。自分が夢に向かって邁進している姿がイメージできると、のびやかな元気いっぱいの文字になる。

図4　一文字セラピー

このセラピーでは短時間で自分の文字の変化を楽しんでいただくことができます。対象は小学生から、OL、主婦、ビジネスマン、経営者、寝たきりだった高齢者まで。老若男女問わず効果を実感し「自分の文字を初めていいなと思えました」「文字で心が整う感覚がわかりました」と、受け入れていただいています。

一文字セラピーは心理状態に合わせた漢字を30事例用意していて、その日の気分に合わせた文字を書いていただくことで、短時間で心を整えられる、ほんの1分でできる世界一簡単な自分調整法です。

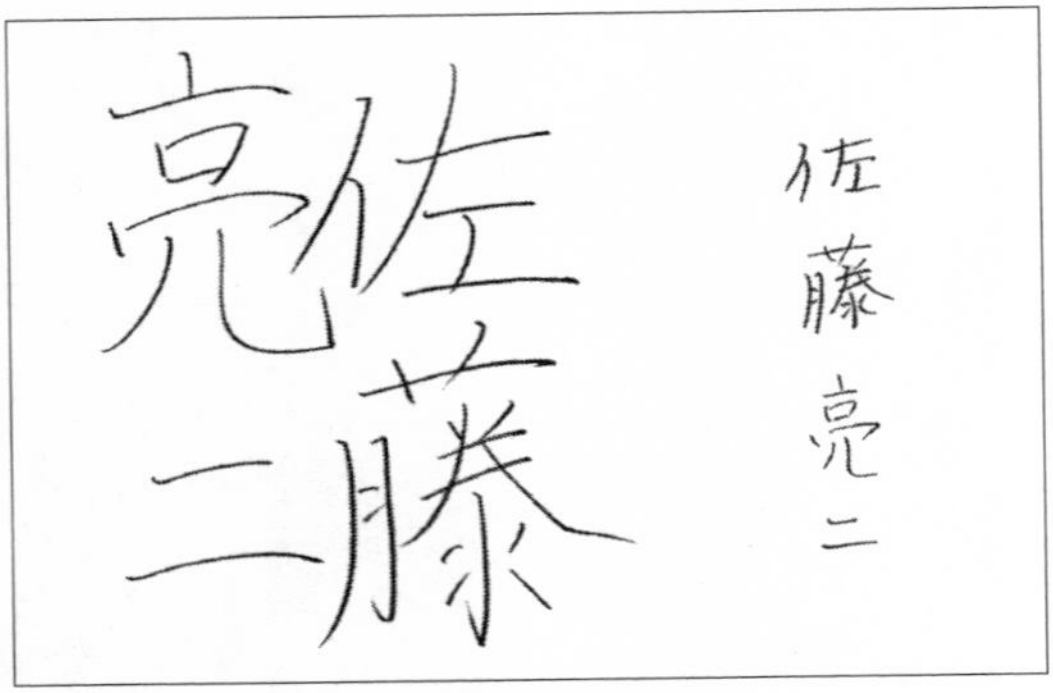

図5　筆跡改善

(3)［改善効果確認：ポテンシャルの上がった自分を感じる］
もう一度名前を書く

一文字セラピーで心を整えた後に、筆跡診断でわかった長所を伸ばすポイントと、成長を妨げるポイントを改善し、自分の名前の書き方に取り入れ、新しいサインを作ります。

そして、それを大きく書く練習をします。その時は、新しい自分をイメージして書くのです。

たったそれだけのことで、すっきりリラックスできるのはもちろん、自己肯定感が高まり、やる気と元気がみなぎってきます。

名前は自分そのものなので、生き生きと書けた自分の名前を目で見ると「自分の文字はお手本のようではないけれど、でも、この文字が書ける自分が好きだ！」と、今の自分をすべて受け入れられるようになります。

これを2回行っただけで、１００社以上落ち続けていた学生が入社面接に合格したり、苦手なセールスのクロージングが得意になったビジネスパーソンや、職場での人間関係が円滑になったOLさん、ストレスで休みがちだった会社に復職できた人、字を変えて4か月後に結婚が決まった方など、様々な成功事例があります。

筆跡心理学の未来

筆跡心理学の効果について少しでもご理解いただけましたでしょうか？　そんな働きがあったなんて！　と思っていただけたらこんなにうれしいことはありません。

文字で自分を変える方法は、紙とペンさえあればどこでもできます。お金もかからずリスクもない、本当に素晴らしい方法です。今現在では、おまじないや占いと混在されることもしばしばありますが、このような効果は、脳科学の発展とともに医学的にも実証されていくと考えています。

それによって、ますます人間の成長や幸福にさらに貢献できるツールとなっていくことと思います。

ぜひ、ご自分の名前をゆっくりとていねいに、大きく、力強く書いてみてください。じわじわとエネルギーが湧いてくるのを感じていただけるかと思います。

【参考文献】

境新一『アート・プロデュースの技法』（論創社、2017年）

町野一晃『筆跡人間学』（サンケイドラマブックス、1978年）

魚住和晃『現代筆跡学序論』（文芸春秋、2001年）

同『筆跡鑑定ハンドブック』（三省堂、2007年）

林香都恵『筆跡を変えれば自分も変わる』（日本実業出版社、2007年）

同『一文字セラピー』（日本文芸社、2014年）

同『しあわせ美文字レッスン』（日本文芸社、２０１６年）
加藤俊徳『脳の強化書』（あさ出版、２０１０年）
田岡三希『脳科学大辞典』（独立行政法人理化学研究所 脳科学総合研究センター）
https://bsd.neuroinf.jp/wiki/ 体部位再現 #cite_note-ref1-2

8

分析しないアートセラピー・臨床美術とは——新たな自分との出会い

大倉葉子

⦿大倉葉子（おおくら・ようこ）

臨床美術士１級、芸術造形研究所教育事業部講師、日本臨床美術協会理事。大阪府大阪市生まれ。女子美術大学芸術学部絵画科日本画専攻卒業。1997年　臨床美術と出会い、臨床美術士として各地の病院や老健施設において臨床美術の現場を担当する。2004年～2008年　芸術造形研究所沖縄校代表として沖縄県内の現場を担当するとともに臨床美術士養成講座を運営する。沖縄から戻ってからは北海道、宮城、山形、富山、京都、兵庫、広島、鳥取、福岡などで臨床美術士養成講座を担当する。また高齢者、子ども、社会人のためのアートプログラムの開発にも携わり今日に至る。

1　はじめに

私の仕事は臨床美術士です。

と申しましても臨床美術とは何か、臨床美術士とは何か、皆様はご存知でしょうか。臨床美術とは最も端的に申し上げると表題の「分析しないアートセラピー」ということになります。

臨床美術士は臨床美術独自のアートプログラムを実践していくことでクライアントの感性を引き出し生きる意欲の創出にまで繋げていくという仕事です。

私は、２０１８年11月に境新一先生にお声がけいただき、成城大学の総合講座Ⅱ〈アート・プロデュース／感動と価値の創造〉の7回目「分析しないアートセラピー臨床美術とは」の講義をさせていただきました。ここではその内容をもう少し詳しく述べさせていただければと思います。

私と臨床美術の出会いは１９９６年、ふと見た「仕事の教室」という情報誌に「アートセラピー（絵画療法）指導者を養成」（当時はまだ臨床美術とは言っていませんでした）とありました。「作り方を教えるのではなく、創造する力を喚起するのが重要だ」と文章が添えられてありました。なぜか直感的に「これだ！」と感じ、この世界に飛び込んだのです。

私は、その1年前の１９９５年3月、宗教団体オウム真理教の起こした地下鉄サリン事件の被害にあいました。軽症ではありましたが、今思うとこのことが私の人生の大きな転機であったように思います。自分の存在を見つめ、自分には何ができるのか、と考えるきっかけとなりました。

答えは何もできることはなく、ただ「美術が好きである」ということしかありませんでした。そして私にとって絵を描くことは、とても楽しいことなのに多くの人にとって苦手で難しく感じる、ということがいつも不思議でした。

そうした時に出会ったのが臨床美術でした。1年間の養成講座を経て1997年が私のセラピストデビューとなったわけです。はじめてセッションの場に出る前夜は眠れませんでした。それから22年、さまざまなクライアント、ご家族、ドクター、スタッフの皆様との出会いがあり、多くのことを学ばせていただきました。今回、この機会を頂き、臨床美術のことと共に忘れえぬ人々とのエピソードや講座を受けていただいた学生の皆様の感想も紹介させていただきたいと思います。

2　臨床美術とは

皆様は「アートセラピー」というとどのようなイメージをお持ちでしょうか。

本来は芸術療法のことを指し、美術療法のほかには音楽療法や演劇療法なども含まれます。美術療法のイメージは、多くの方がおそらく木や山や道を描き、その出来上がった作品をどのように描画しているか分析し、心理状態を推測し、診断をする、というようなことを思い浮かべられるのではないでしょうか。

こうしたアートセラピーは精神科で行われているクライアントの作品をどのような治療が適切であるか診断を下すための「手立て」とされている精神療法、心理療法の応用領域の絵画療法と言われているものになると思われます。

臨床美術も芸術療法ですが、心理状態を推測するのではなく絵やオブジェなどの作品を楽しみながら創ることによって脳を活性化させ、認知症の症状を改善するために開発されました。

作品を作る際は、独自のアートプログラムに沿って単に「見る」だけではなく、触ったり、匂いを嗅いだり、味わったり、音楽を聴いたりしながら手を動かすことで、全身の感覚を刺激します。作品を完成することが目的ではなく、創作過程そのものを重視しています。出来上がった作品に上手い下手は関係ありません。また作品を評価することや分析することはありません。

臨床美術士とのコミュニケーションの中で「褒められる」「共感を得る」ことの喜びを感じてもらいながら、自由に前向きに取り組むことを大切に考えています。「五感への刺激」「リラックスできるコミュニケーション」によって、「脳」が活性化され、感性の目覚めや潜在能力、生きる意欲を引き出すことにも効果があると注目されています。

2―1　臨床美術の歴史

ここで臨床美術の歴史をご紹介いたします。臨床美術は１９９６年に日本で開発されました。開発者は彫刻家・芸術造形研究所代表取締役の金子健二氏（１９４８～２００７）です。

金子氏は１９７７年より埼玉県さいたま市に子ども造形教室を設立し、独創的な美術教育・美術活動をおこなっておりました。「競争主義の芸術ではなく、共に生きる芸術を」をモットーに、上手下手に関係なく、美術を心から楽しむことを目的として活動が行われておりました。美術教育を試行錯誤する中で金子氏が大きく影響を受けたのが、ベティー・エドワーズが提唱していた「右の脳で見て描く」という研究でした。この研究に基づいた考え方を応用、実践することで子どもたちだけではなく、さらに大人でも十分楽しめる方法を開発していきました。

1996年、研究所のスタッフの家族が認知症を発症したことをきっかけに、認知症を専門としていた脳神経外科医・木村伸氏（当時、大宮医師会市民病院）との出会いを得て、認知症のクライアントに対する右脳を活性化させるアートプログラムを実践することになりました。また当時としては介護者のケアについては認識されておりませんでしたが、美術活動と並行して介護者のグループカウンセリングを牧師である関根一夫氏によって行われました。結果は、クライアント本人や家族からの反響が大きく、マスコミから取材を受け話題になりました。

1998年からは、東北福祉大学「感性福祉研究所」において芸術療法班としてエビデンスベースの研究が開始されました。さらに2000年には「もの忘れ外来」を国内で初めて設立し、多くの認知症患者を診療していた国立精神・神経センター武蔵病院（現国立精神・神経医療研究センター病院）に導入され、認知症の認知リハビリテーションとして試みられ、効果、治療的意義については老年精神医学会などで医学的立場で報告されました。

認知症のクライアントに向け、症状の改善ために開発された美術活動の臨床美術ですが、そこに携わる臨床美術士の育成は1996年より芸術造形研究所において開設されました。

2002年にはNPO法人日本臨床美術協会が設立され、資格の認定を実施しています。また、日本臨床美術協会では臨床美術の普及と臨床美術士の社会的地位確立に向けたさまざまな活動もおこなっております。

近年では東北福祉大学、東京藝術大学、京都造形芸術大学をはじめ多くの大学において「臨床美術論」に関する講座が開かれています。

２００９年には学問的基盤をさらに深めるということから臨床美術学会が設立されました。美術、医療、福祉、教育と分野を越えるユニークな学会として各専門分野からの研究が行われております。毎年開催されている学会大会には国内だけでなく、フィンランド、中国、韓国など海外からの参加もあり、国際的にも注目を集める様になってきました。

現在、脳の活性化などエビデンスベースの研究も進み、高齢者施設だけではなく、地方自治体等による介護予防事業、発達障がい児に対する教育活動、企業内のストレスケアとしての精神保健活動、保育士、看護師、介護実務者への教育活動などの分野でも、臨床美術の普及が進んでいます。

2－2　臨床美術のアートプログラムと脳のモード

臨床美術は独自に開発したアートプログラムによってセッションが行われています。そのアートプログラムは様々な技法、道具、絵の具や造形素材の特性を活かし、誰でもが楽しめる内容を目指して開発されております。またアプローチとしては、２－２「臨床美術の歴史」にも記載いたしましたベティー・エドワーズ著「脳の右側で描け」に書かれている知覚転換教授法を多く取り入れております。これは、脳のモードの転換、言語的論理的思考（左脳モード）から包括的直観的モード（右脳モード）への知覚転換を促進するというものです。このベティー・エドワーズの教授法にはベースとなる研究がありました。カルフォルニア工科大学のロジャー・W・スペリーの分割脳の研究です。人間の大脳の左右の半球は別々に高度の知覚機能を持っている。そしてそれぞれ情報の処理の方法やモードが異なるという説です。

脳の左半球は言語的、分析的な処理法、たいして右半球は空間的、包括的処理法であるとしています。ベティー・エドワーズは脳の右半球の特殊機能を開発することで新しい物の見方を身につけることができると考えました。

これに関連して２００５年に世界でベストセラーとなったダニエル・ピンクの「ハイコンセプト」に興味深い文章があります。

> スペリーには、研究室の中でアイデアを実生活の場に反映する手助けをしてくれた人物がいた。中でも重要な存在が、カリフォルニア州立大学の芸術教師、ベティー・エドワーズである。エドワーズは１９７９年に「脳の右側で描け」（エルテ出版他）という著書を出版している。エドワーズによれば、芸術的な才能がある人とない人がいるという考えは間違えだという。「描くというのは、実はそれほど難しいことではありません。問題は見ることなのです」と、エドワーズは述べている。そして見るための、本当の意味で「見る」ための秘訣は、なんでも知っているぞと理屈を振りまわして威張り散らしている左脳を鎮め、物静かで柔らかな右脳にこの仕事をさせることだというのである。[1]

神経心理学者であるスペリーが大脳半球の機能分化に関する研究によってノーベル生理学・医学賞を受賞したのは１９８１年であり、40年近く前のことです。その後、脳の機能研究においてさまざまな発表がなされておりますが、「脳の右側で描け」の中にベティー・エドワーズの予言とも確信ともいえる言葉があります。

言語的論理的思考からより包括的直観的モードへの知覚転換を促進する私の知覚転換教授法は、将来、美術とその応用分野の先生たちの手によってさらに発展すると、私は信じています。私が左モードと右モードと名づけた脳の機能を未来の科学がどの程度まで両半球に区分するかは別として、この本で述べた2つの知覚モードとこれに関連した理論は、実際さまざまなレベルの学生たちが試みて成功しており、したがって脳のメカニズムがどれだけ厳密に側性化されているかということとは別に支持されています(2)。

臨床美術の創始者であり、彫刻家でもあった金子健二氏は、まさにこの理論を美術家として受け継ぎ展開させたといえます。臨床美術の開発以前にすでに造形教室においてこの理論に基づいた美術教育を実践し、手応えを実感していたことが臨床美術のプログラム開発へ繋がったと考えます。

ここで改めてエドワーズの理論における左モードと右モードの性質の比較を見てみます。

左モード（言語的論理的思考）：言語的、分析的、象徴的、時間的、論理的、直線的

右モード（包括的直観的モード）：非言語的、総合的、具体的、非時間的、直観的、全体論的

こうしたモードの違いを成城大学の総合講座では受講していただいた皆様にアートプログラムにより実体験していただきました。

図1　左モードの図

2―3　アートプログラムによる左右モードの体験

では、実際にはどのように左右モードの違いを実感していただいたのか紹介したいと思います。

左モードの体験としては紙に短時間で思いつくまま「太陽」「月」「星」「チューリップ」「家」「車」を描いてもらい、近隣の座席の人と見せ合ってもらいました。何気なく描いたものが、他の人の描いたものとあまりに類似しており、笑いさえ起りました。（図1参照）

描かれたものは絵というよりは記号に近く、手数の最も少ない**象徴的**（シンボル）な図柄となっていました。つまり左モードの性質をよく表していました。

右モードの体験としては「アナログ・モザイク」というアートプログラムを体験していただきました。

二人組となり、紙に黒ボールペンで交互に点を打ち、その点を緩やかな曲線でやはり交互につなぎます。相手がどのような点や線を描くかは予測がつきません。つまり、想定ができないわけで

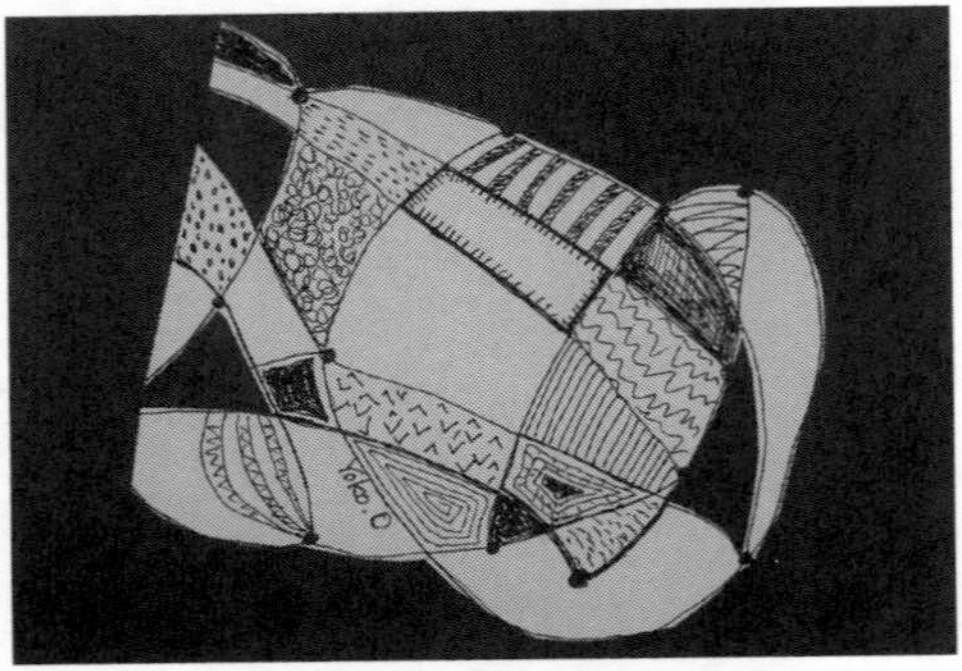

図2　アナログモザイク　参考作品

す。

すべての点が線でつながったら、できた画面を半分にはさみで切り分けます。ここからは1人1人が半分になった画面を見て、外周に凹凸をつけるようにはさみで部分を切り取ります。

できた不定形の画面をよく見て、線が交差してできた形を塗りつぶしたり、さらに線や点を加えたり、模様を入れてみたりすることでモザイクのような画面が生まれてきます。

途中、画面を回転させ、見る角度が変化することで、新鮮に感じられ、ひらめきがおこり、直観的な発想やこうしてみようかという衝動が生まれます。

最後に黒い台紙に余白を意識し、全体を見ながら貼り、完成です。(図2参照)

二人組で交互に描くことは非言語のコミュニケーションとなり、画面を回転させてみることは直観を触発し、台紙に貼る際には全体を意識するという右モードの性質を各工程に組み込んであります。

30分ほどの制作時間でボールペンだけのモノクロのアートプログラムでしたが、大変個性豊かな作品が生まれました。この制作体験の後、アンケートを書いていただきました。非常に興味深い感想を頂く事が出来ましたので5章で紹介させていただきたいと思います。

2－4　臨床美術のアートプログラムのこだわり

臨床美術のアートプログラムは2－3で紹介いたしましたようにエドワーズ理論を取りいれたものが多くありますが、その他にもさまざまなこだわりをもって作成されています。

アートプログラムは臨床美術士によってテーマ、画材、素材、工程などを繰り返し試作することで検討し、作成されています。

テーマは、大まかに分けると「モチーフによるもの」と「印象によるもの」があります。

モチーフがテーマの場合は、表現する以前によく観察をしてみます。身近な野菜や果物、花、動物であっても改めて能動的に五感で感じることをします。

そうすることで自然の豊かな色彩・必然から生まれる造形や、そのものならではの法則などが見えてきます。野菜や果物であれば香りや、重さ、触感、味などを感じてもらいます。

ある男性は75歳にして「生まれて初めて調理前のナマの里芋を手に取りました」と感慨深げに語っていました。

ここで五感とは何かと改めて考えてみますと古くギリシャのアリストテレスの霊魂論でヒトの感覚を分類したのが始まりのようです。感覚は外部の刺激を受けて生じ、その刺激を受け取る器官を受容器といい、感覚器官ともいわれます。感覚器官で受け取られたものが脳に伝えられ、情報となります。

この五感による情報の入手の割合が諸説ありますが、視覚からが約80％、聴覚から10％、触覚から3％、嗅覚から2％、味覚から1％といわれております。なんと多くの情報が視覚に頼っていることでしょうか。目を閉じ、モチーフを手に取ってもらった時に触覚による情報は大変新鮮に感じられ、強い印象となります。本人にとって新鮮な体験は、発見となり、感動となってモチーフへの関心が高まり、制作意欲へとつながります。

印象によるテーマは、例えば「紅葉についての思い出」を表現するというものがあります。臨床美術のセッションはクラス体制で行う事が多いのですが、人それぞれの紅葉の思い出を語ってもらいます。すると聞いていているうちに自分の中で眠っていた印象が色鮮やかに回想され、生き生きと思い出が蘇ってきます。そうしたことが制作意欲や表現の衝動へとつながります。

原研哉氏の著書『デザインのデザイン』に次のような文章があります。

　デザイナーは受け手の脳の中に情報の建築を行っているのだ。その建築は何で出来ているかというと、様々な感覚のチャンネルから入ってくる刺激でできている。視覚、触覚、聴覚、嗅覚、味覚さらにそれらの複合によってもたらされる刺激が受け手の脳の中で組み上げられ、僕らが「イメージ」と呼ぶものがそこに出現するのだ。さらには、この脳の中の建築には、感覚器官からもたらされる外部入力だけではなく、それによって呼び覚まされた「記憶」もその材料として活用されている。記憶というものはその主体が意志的に過去を反芻するためだけにあるのではなく、外からの刺激によって次々と呼び起こされ、新しい情報を解釈するための肉付けとして働く。つまり、イメージとは、感覚器官を通じて外から入ってくる刺激と、それによって呼び覚まされて過去の記憶が脳の中で複合、連携したものだ。デザインという行為は、このような複合的なイメージの生成を前提として、積極的にそのプロセスに関与することである。

これを情報の建築と呼ぶのは、その複合的なイメージを、意図的に、計画的に発症させることを意識してのことである。[3]

臨床美術のアートプログラムもイメージの喚起を促す「情報の建築」のように思います。

更に、アートプログラムのこだわりとして画材があります。アートプログラムには平面や立体などがありますが、それぞれ表現するのにもっとも適した画材を選択しています。

例えば、平面では紙に描くだけではなく、布やガラス、板などに描くこともあります。立体ではテーマにあったさまざまな特長のある粘土を選びます。石や木の実、縄、毛糸なども使うことがあります。画材、素材選びにおいても手触りや匂いにより不快にならないか、安全か、など吟味します。

そして何よりも「誰でもが楽しめるか」という大前提のもとにアートプログラムは作成されています。

2−5　臨床美術士の役割

こうして練り上げられたオリジナルのアートプログラムに沿ってセッションを進めていくのが臨床美術士です。臨床美術士はＮＰＯ法人日本臨床美術協会により資格の認定を受け、活動しています。臨床美術士の養成講座は東京のみならず北海道、山形、宮城、愛知、京都、兵庫、鳥取、広島、福岡などでも開催され、専門的な学びを経て資格を取得し、それぞれの地域で活動をしています。

その学びの中に理念ともいえる姿勢があります。臨床美術創始より介護家族の皆様のグループカウンセリングを担当されている関根一夫先生が発案された「存在論的人間観」という人に対しての向き合い方です。関根先生曰く、

「存在論的人間観」とは「そこに存在するあなたは、私にとって大切な存在であり、ありがたい存在です」とか「あなたの存在自体に重要な意味がある」ということを意識する人間観である。できることは素晴らしい事、出来ない事は残念な事であるのは認めざるを得ないが、それでも、あなたの存在が重要であり、意味があることに変わりはないと確信する人間観である。(4)

この存在論的人間観に対するのが機能論的人間観ということになります。機能論的人間観とは勉強ができる、ピアノがひける、英語がしゃべれるなど「〜が出来る」という様に機能に対することよって人を比較や評価する人間観です。現代社会では多くの場で私たちはこの機能論的人間観にさらされているのではないでしょうか。

生まれながらにして障がいがあったり、人生の途中、思いもよらぬ事故や災害、病などで出来ること

が出来なくなることもあります。そうした機能によることでその人の存在の意味が左右されるのではないという考え方が存在論的人間観といえます。

臨床美術士はこの存在論的人間観を背景に個々の存在を肯定的に受容する姿勢を心掛けています。人間観と聞くと他者に対する意識と捉えがちですが、自己に向けても言えることだと思います。私たちは、自分に対して何ができるかと機能論で縛る傾向にあります。出来ないとなれば自己否定となり、情けないと自分を責め、悶々とすることになります。「私は私でよいのだ」と自己肯定感を持てれば、希望が湧き、元気が出ます。自分の存在も肯定的に受け入れられることが重要であると考えます。

セッションに向けての臨床美術士の役割を述べてみます。

臨床美術士の仕事として、セッション実施以前にさまざまな事を検討し計画する、例えばどのようなアートプログラムが良いか、会場のレイアウトはどのようにするか、モチーフや画材の手配はどうするのかといった準備が必要です。こうしたことは、「セッションをプロデュースする」ということだと思います。臨床美術士には、こうしたプロデュース力が求められます。セッションの開催の目的と対象を確認し、最も適した内容を実現するプロデュース力です。

ほかにも求められる大きな要素があります。それはコミュニケーション力です。多くの臨床美術の実践の場ではコミュニケーションが難しいクライアントへのデリケートな対応が求められます。例えば認知症の患者さんは病気が進行すると何もする意欲がなくなり呆然と時を過ごすことが多くなってきます。臨床美術士が患者さんに向けてその方にあった働きかけをすることで精神活動が回復し、絵を描いてみようかという思いが興ってくるのです。表現してみようかという衝動が起きてくるのです。

クライアントに向けてのコミュニケーションは「存在論的人間観」からなる一人一人がかけがいのない存在であり、ここに至るまでのさまざまなその人には「ストーリー」があるということを感じながら接します。言語によるコミュニケーションが難しい場合も多くありますが、クライアントの視線や呼吸の様子から微細な意志の発信をしっかりと受け止めることが求められます。

コミュニケーション力はクライアントにのみ向けられるものではなく、その家族、実践の場のスタッフ、例えば病院であれば、ドクターや看護師、学校であれば教師、保育園であれば保育士、介護施設であれば介護士に対してのコミュニケーションがうまくとれるかどうかによって円滑にセッションが実施できるかどうかに係わってきます。

では、実際のセッション時には臨床美術士の役割はどのようなことがあるのでしょうか。

導入として緊張感や不安感を和らげることが大切です。具体的には歌を歌う、簡単なストレッチを行う、雑談をするなどです。充分に和やかな雰囲気になったところで制作に移ります。

制作ではアートプログラムの工程を区切って、分かり易く実際に臨床美術士が目の前で制作してみせるデモンストレーションをしながら伝えていきます。

臨床美術の特徴としては短く工程を区切ってデモンストレーションを行います。それは、クライアントの「今の瞬間、この場」を知覚することはできるということを活かす方法です。誰でもが楽しく制作してもらうことができる方法の工夫です。

また臨床美術士は、この時にクライアントの気持ちを察し、不安や緊張を共感することが大切になります。臨床美術士は指導者ではなく共感者であるという考え方です。それを表す具体的な言葉がけとして決して「描きなさい」ではなく、「描いてみましょう」「描いてみませんか」という言葉となります。

作品が出来上がるとセッションの最後には鑑賞会を行います。決して作品を比較したり評価したりということではなく、個々の作品を1点ずつ、その作品の独特の魅力を臨床美術士が紹介し、感想を述べあいます。優劣を決めるのではなく、その場の人々が一体感を持ち、美術活動を共有する空間となります。

セッションの最中に大切なことは、クライアント自身の「こうしてみようか」という、ひらめきや気持ちが内側から沸き起こることです。本人にとって今までに経験した事のない衝動ともいえる想いであり、それが色や線や形となって視覚化され、作品となります。臨床美術士はそこに立ち会いますが、クライアントとの距離を保ち、一個人同士として接することでクライアントは自立した自分を実感し、達成感や自己肯定感を感じてもらえるのだと思います。さらに今、ここに自分が「生きている」という実感を得、作品を通じ再確認されるのではないでしょうか。

臨床美術士はセッションに参加される人々に「生きている！」と実感し、幸福感や満足感を感じてもらう役割を担っていると考えます。

写真１　高齢者の実践の場

3　実践の場

臨床美術は１９９６年から開発、実施されてまいりました。さまざまな臨床美術の実践の場を具体的に臨床美術学会において発表、報告された記録から紹介いたします。

臨床美術学会は美術と感性の関係を研究、調査するとともに、医学、福祉、教育等と連携して、学際的視野から、美術の本質と可能性を探り、実践的制作としての表現の方法論を探求するという目的で２００９年に創設されました。それ以降、毎年、年１回学会大会において多くの臨床美術の実践者たちによって報告や検証がなされています。

3－1　高齢者

認知症の患者さんに向けた脳のリハビリテーションとして、また老人保健施設や地域包括センターなどのデイサービスでは脳のトレーニングとして行われています。地方自治体における介護予防事業にも取り入れられています。（写真１）

写真２　子どもの実践の場

「木村クリニック・アールブリュ」は２００３年に木村クリニックが開設と同時に併設された臨床美術専用のスペースです。院長である木村伸医師は１９９６年の臨床美術の立ち上げ時から医師、ファミリーケア・アドバイザー、臨床美術士がチームを組む形を構築したメンバーのひとりです。「アールブリュ」での臨床美術は開設時より認知症リハビリ・予防の合同クラスを月３回、現在も継続実施されています。

臨床美術は認知症の早期治療・予防治療として有効であると報告されています。

３－２　幼児

感性教育、自他の認識、主体性の育成などを目的に各地の保育園、幼稚園などで実施されています。

（写真２）

幼児教育や保育士からの視点により、臨床美術の実践に伴う課題も提示され、感性を伸長することを目的とした臨床美術の方法論を保育に適した形で応用することが検討されています。

3－3　小学校

「総合的な学習の時間」として福祉教育を目的に実施されています。

２００５年より12年間、埼玉県の春日部市、幸松小学校において4年生を対象に臨床美術が導入されました。「総合的な学習の時間」は子どもたちの自ら学び自ら考える力などの、人として生きる力の育成を目指し、教科などの枠を越えた横断的、総合的な学習を行うための授業です。臨床美術の学びは福祉教育、交流教育として「臨床美術サポーター教育」というテーマで行われました。実際には4年生を対象とし、子ども自身が純粋に制作を楽しみ、最終的には「臨床美術サポーター」として地域の高齢者にアートコミュニケーションを行い、アートの楽しさを伝えるという授業です。終了後のアンケートでは「人のいいところが見つけられるようになった」「相手を楽しませるために、相手の気持ちを考えた」「いろいろなほめ方がいっぱい分かった」という記述があり、各自が自己肯定感や自信を得、さらに他者の存在も認める相互作用が観察されたと報告されています。

3－4　障がいを持つ子ども

脳性麻痺による肢体不自由、ダウン症、自閉症、発達障がいの子どもにも病院や施設において実施されています。

「木村クリニック・アールブリュ」では障がいを持つ子どもに対する臨床美術も２００７年より実施されています。異なった症状を持つ子どもに対し臨床美術のアートプログラムによる表現活動で心を開放し、意欲と潜在能力を引き出し、充実した時間を送ってもらうことを目的としています。臨床美術士は参加者の身体的機能面の制限やその日の状態に合わせ、個別対応が求められます。また参加者の関心は常に変化するので臨床美術士が瞬時にその意思をくみ取り、道具や方法の提案が求められます。

こうした取り組みの中で参加者の内発的な欲求が引き出され、集中の時間も長くなり、満足感と学習へ繋がったと報告されています。

3－5　成人

メンタルクリニックのリワークプログラムに組み入れられ、うつ病の患者さんに向けて自己肯定感を持ち、生きる意欲を持ってもらえるように実施されております。

職場の中で発症したうつ病の患者さんの職場復帰支援には、精神科のデイケア施設における職場復帰支援プログラムの果たす役割が大きいと考えられます。その中では認知行動療法など論理的な手法が中心ですが、うつ病の患者さんの気分状態を考えると、感覚的な芸術活動もレクリエーションないしリハビリテーションの一つとして有用であるとしています。検証の結果、継続的な臨床美術のプログラムにはリワークに対する一定の有効性があると結論づけています。

企業内においてもストレスケアとして終業後に会議室や食堂などで行われております。

参加者の感想として考え方が柔軟になり、集中力、コミュニケーション力が増したとあります。

3－6　被災者

自然災害による被災者の心のケアとしても各地で実施されています。

東日本大震災の後、２０１２年から臨床美術による被災者に向けての心のケアを実施するボランティアとして活動が報告されています。震災により多くを失い、心身にストレスを抱えた方々に気分の安定や意欲を引き出すきっかけとして仮設住宅などにおいて実践されています。臨床美術の創作活動によって多くの方の不安や緊張を和らげるのに効果があるとしています。

このように多くの場で臨床美術は実践され、学会では医療、教育、福祉などの分野から、その有意性、有用性、有効性が報告されています。

4　新たな自分との出会い

「わがうちの埋蔵資源発掘し新しき象《かたち》創りてゆかん」

これは社会学者の鶴見和子氏の『回生』という歌集に収められた短歌です。

鶴見氏は1995年77歳の時に脳出血に倒れ、左半身が不自由となりました。リハビリテーションを受ける中、1998年に刊行された「回生を生きる」では次のように語っています。

回生とは、回復ではない。左片麻痺は死ぬまで癒らないことは、すでにはっきりしている。元に戻れないとすれば、生きているかぎり、前に向かって進むよりしかたがない。新しい人生を切り拓く、もって生まれた可能性（埋蔵資源）を生命あるかぎり、発掘しつづけ、それに新しい象（かたち）を与えてゆく（創造）ことが回生の究極のいみだと、今は考えている。不治の病と、そして人

間の最後に訪れる老いも、そのための天与の季節だと心得て、この日この刻を大切に生きている。(5)

鶴見氏は人には生まれた時からの遺伝子、又その人が生きてきた中で学習した知恵や情報、技芸、文化がすべて埋蔵資源だとし、それに気づかず、活用せずに死んでしまうことが多いとしています。病を得るなど何かの拍子にそれを発掘する、つまりは自分の中にあるものに関心が向き、気づかされるとしています。

また世界的な免疫学者である多田富雄氏の「寡黙なる巨人」という著書があります。多田氏は2001年5月旅先で脳梗塞に見舞われ、右半身が麻痺となり声も失われました。その時のことが書かれております。その中のあとがきに次のような記述があります。

発病後は絶望に身を任せるばかりで、暇さえあれば死ぬことばかり考えていた。—略—それがリハビリを始めてから徐々に変わっていったのだ。もう一人の自分が生まれてきたのである。それは昔の自分が回復したのではない。前の自分ではない「新しい人」が生まれたのだ。私はこの「新しい人」の目覚めを、この本の中で繰り返し書いた。(6)

とあります。このお二人は倒れられてから10年近く、リハビリを行いながら多くの著作を残されています。共通するのは、自分の中の新たな自分、自分でも知らなかった深いところからむくむくと立ち上がる自分との出会いと可能性が書かれています。このお二人の場合は美術ということではありませんが、臨床美術士の私が多くのクライアントとの出会いのなかで、美術活動を手立てに新たな自分との出会いを感じていただけた手応えをご紹介いたします。

それは私にとって忘れられないエピソードであり、臨床美術士として可能性を実感させてもらえることでもありました。

・群馬県の介護保険施設にて78歳の女性、「死にたい」が口癖であり、施設長が何とか生きる意欲を持ってもらいたいと臨床美術に参加してもらう。最初は拒否されておりましたが、徐々に制作され、月2回のセッションを3ケ月体験したころから鑑賞会で自分の作品を見て「私のが一番いいね」と、半年後には「やっぱり今日も私のが一番いいねぇー」と目を細められる。

・埼玉県でのセッションにて82歳の男性、元職人であり、こだわりがある。「クリスマス・プレート」というガラスの皿に描画するプログラムの折、作品の中に「タダオ・キネン」と書き込まれる。何の記念ですかと尋ねると「今日という日に私がこの作品を創れたという記念」といわれる。

・埼玉県の生涯学習における臨床美術に参加された80歳代の少し気難しい男性の帰られるときの捨て台詞、「不覚にも楽しかった！」

・東京でのセッションにてクラリネットが趣味で絵を描くのは苦手という70歳代の男性、「私は人生を見誤ったかもしれません。こんなに自分に美術の才能があるとは思いませんでした。」と大切そうに作品を持ち帰られる。

・沖縄で元小学校の校長をされていた70歳代の女性、人生でやり残したことはないかと考えた時、絵が苦手ということを克服したいと受講、結果「絵が描ける新しい自分に酔いしれています。」

・東京のセッションに80歳代の夫婦で参加。典型的な夫唱婦随のようだったが、ご主人は「家内がこんなに大胆とは知りませんでした。」夫人は「主人がこんなに繊細とは知りませんでした。」

・石垣島のグループホームにて87歳の宮古島出身の男性。言葉によるコミュニケーションは難しかったのだが、「思い出の空」というプログラムの導入でのこと。今迄見た空で素晴らしいと思った空はどんな空ですかと聞いてみると「僕は毎日素晴らしい空だと思って見ていたよ、素晴らしいと思って見れば本当に素晴らしい」と語り、うす紫色の美しい空の作品となった。

5　成城大学　総合講座のアンケートより

私は昨年の11月に成城大学の総合講座Ⅱ〈アート・プロデュース／感動と価値の創造〉の7回目を担当させていただき、多くの学生の皆様に受講していただきました。その時のアートプログラムの内容は2－4「アートプログラムによる左右モードの体験」で紹介させていただきましたが、講座の終了後に

写真3　成城大学での講座

102名の方からアンケートの協力をいただきました。

ほとんどの方が臨床美術は初めて知ったということでした。アンケートは自由記述ですが、6割の方が楽しかった、面白かったと嬉しい感想がありました。次に多かった内容が「個性について」2割以上の方が出来上がった作品のさまざまな個性に驚きがあった、とありました。3番目としては、「自己肯定感について」の記述でした。少し意外でしたが4番目には「ペア」になっていただいたことに対する記述がありました。それぞれいくつか抜粋して紹介させていただきたいと思います。（原文のままです。）

①　個性について

・出来上がった作品は友達や周りの人のものを見ると全くことなっていて、でもみな良い味が出ていていいなと思いました

・表現を通して人はみんな違うということがわかり、その違いに良いも悪いもないんだなと感じました。自分の個性もみんなの個性も大切にしようと思いました

・個性は考えないと生まれないものだと思っていましたが、無意識のときに生まれてしまうものこそ個性なのだろうなと思いました

・制作をしている時にほかの人の作品を見ていて、全員が個性を発揮していて、十人十色なことが目を通してわかりました。自分の個性を生かして、今後生活していこうと思いました
・ボールペンとはさみだけでここまで個性が現れることに驚きました

②　自己肯定感について
・実践してみることで、なぜこれらの創作が現場で行われているのか身をもって納得することができた。確かに可視化することで自信や自己への肯定感につながることは非常に理解した
・私自身自己肯定感が低いと感じるので体験できてよかった
・このような美術的技術の関係なしに作品を作る行為は非常に自己を肯定することにつながったと考えます。美術作品の制作がこのような自己肯定につながるものとして広まってくれたらと思います
・最初に絵が苦手だと手をあげましたが、もしかしたら自分は絵が下手ではないのじゃないかなんて思いました。これも自己肯定感でしょうか
・感じたことの視覚化から自己の存在感を実感し自己肯定感につながるというのはなるほどなと思った
・美術からこのような自己肯定感を得られるというのは素晴らしいことだなと感じました
・今回このように自由に描いてみて、自分にしか創造できないものがあるかもしれないと気づき、少し自信をもつことができました

③　ペアになったことについて
・知らない人とペアになったけれどそんなに気まずくなることもなく作業をすすめられてたのしかった

です

・ペアでやったからこその想定の無い展開だったと知り驚きました。確かにひらめきの連続であった
し、ペアの人を見てインスピレーションが湧いてきました

・私自身人見知りするタイプで不安だったが、初めに挨拶をしてからは不思議と安心して作業できた

・ペアの人と共同で作業することで、他の人とコミュニケーションをとる事の楽しさ、ほかの人との違いを実感することができました

・ペアワークを行いましたが、会話はしなくてもコミュニケーションが取れているような不思議な感覚でした。

・共同で作業すると新しい発見や発想があって面白かった

④　その他

・アートは比較されるものだと思っていましたが、今日の体験したアートセラピーはそれがなく、純粋な「やってみよう」に直結していた気がしました

・今まで抽象芸術を描くときってどんな感じなのだろうと不思議で仕方なかったが、少しわかったように思う

・芸術というのは年代、性別、人種に関係なく楽しむことができると思う。そこから精神的な世界と結びつけ、生きる意欲を見出すというのは人間の根源的な部分に作用すると思う。とても面白い授業で非時間的（時を忘れた）になりました

「時間を忘れた」という感想は他にも何名かの方からいただきました。これは「フロー体験」といえるのではないかと思います。「フロー」と名づけたのは心理学者であるM・チクセントミハイです。「フロー」とは流れという言う意味ですが体験者たちが「流れの中にいるようなのです。」といったことから名づけられた状態です。チクセントミハイによれば次のように述べています。

目標が明確で、迅速なフィードバックがあり、そしてスキル（技能）とチャレンジ（挑戦）のバランスが取れたぎりぎりのところで活動している時、われわれの意識は変わり始める。そこでは、集中が焦点を結び、散漫さは消滅し、時の経過と自我の感覚を失う。その代わり、われわれは行動をコントロールできているという感覚を得、世界に全面的に一体化していると感じる。われわれはこの体験の特別な状態を「フロー」と呼ぶことにした(7)

ここで言われている「迅速なフィードバック」とは美術の場合、感性から動かした自分の手の動きが視覚化されたことに当たります。描かれた線は客観視することができ、フィードバックとなるわけです。

また哲学者である古東哲明氏の「瞬間を生きる哲学」では、つぎのような記述があります。

時を忘れることがある。話に夢中になり、音楽に聞き惚れたり、仕事や趣味に没頭しているような時である。たいてい愉悦の時だ（時ばかりか「我」を忘れる。時間意識と我の表立とには深い関係がある）

―略―ちなみに、breath of life（生命の息吹）はギリシャ語プシューケー（アニマ＝いのち、生気、霊魂）の英訳語。辞書的には「活力のもと、不可欠なもの、なくてはならない貴重なもの、人が喜び熱中するもの、生きがい」の意味をももつ。

―略―いのち息吹くこの愉悦をチクセントミハイは「フロー体験（flow-experience）」と名づけた(8)

この哲学的見解は少し過激な感じがいたしますが、「いのち息吹く愉悦」とは「生きているという実感」なのでしょうか。

アンケートにご協力いただきました学生の皆様、心より御礼申し上げます。

6　おわりに

臨床美術士として、私が日々、心掛けていることがあります。

一つは積極的な情報収集です。自分自身があまり興味を持てない事であってもスポーツ、芸能、気象、文学、音楽などなど様々な分野の情報にアンテナを張っております。人々が、今何に興味を持っているのか、流行っているのか、話題にしているのか注目しています。このことは大いにコミュニケーションに関係すると考えています。

もう一つは自らの五感を能動的に働かせ、謳歌するということです。五感からの喜びは「生きているという実感」に通じると思います。「感じる」ということの有難さを噛みしめています。具体的には自然の音に耳を澄まし、触れることで指先からの微妙な質感を感じ、香りによる気持ちの変化を実感し、微妙な色彩の違いを愛で、そして味のふくよかさを堪能するといった具合です。

私は今年の春から臨床美術士として認知機能トレーニングのデイケアを担当させていただくことになりました。また新たな出会い、クライアントはもちろんですが、ドクターや臨床心理士、介護士の方々との出会いです。打ち合わせを重ね、どのように実践していけばよいか、一からの構築となっております。この仕事はこれでよいということがありません。現在奮闘中です。

そして一人でも多くの方に臨床美術を体験していただくことで、絵を描くことがこんなに楽しいことだと感じ、こんな自分がいたのだと発見していただければと願っています。

［謝辞］
こうした機会を与えていただきました境新一先生に改めまして心より御礼申し上げます。
またこの度、創始以来臨床美術にご尽力されております西田清子先生にもアドバイスを頂き、心より感謝申し上げます。

【参考文献】
徳田良仁・村井靖児編著『アートセラピー』（日本文化科学社、１９９７年）
金子健二編『臨床美術』（日本地域社会研究所、２００３年）
宇野正威・芸術造形研究所編著『臨床美術――認知症医療と芸術のコラボレーション』（金剛出版、２０１３年）
菅原布美子「被災地における臨床美術の介入の効用と課題」（『臨床美術ジャーナル』４号、臨床美術学会、２０１５年）
田島悠史「リワークプログラムにおける、臨床美術プログラムの量的検証」（『臨床美術ジャーナル』５号、臨床美術学会、２０１６年）
須藤光和「障がいを持つ子どもに対する臨床美術」（『臨床美術ジャーナル』７号、臨床美術学会、２０１８年）

【注】
（１）ダニエル・ピンク『ハイコンセプト』（三笠書房、２００６年）
（２）ベティ・エドワーズ『脳の右側で描け』（マール社、１９８１年）
（３）原研哉『デザインのデザイン』（岩波書店、２００３年）
（４）関根一夫「臨床美術と存在論的人間観」（『臨床美術ジャーナル』３号、臨床美術学会、２０１４年）
（５）鶴見和子・上田敏・大川弥生『回生を生きる』（三輪書店、１９９８年）
（６）多田富雄『寡黙なる巨人』（集英社文庫、２００７年）
（７）M・チクセントミハイ『フロー体験入門』（大森弘訳、世界思想社、２０１０年）
（８）古東哲明『瞬間を生きる哲学』（筑摩書房、２０１１年）

9

「こどもの日」と「成人の日」

◉田中宣一（たなか・せんいち）

1939年、福井市生まれ。成城大学名誉教授、博士（民俗学、國學院大學）。1967年、國學院大學大学院文学研究科単位取得退学。1976年より2011年まで、成城大学文芸学部に勤務。専攻、民俗学。祭り・年中行事を研究、また現在の各地の民俗変化についても調査研究する。著書に『年中行事の研究』（おうふう、1992）、『祀りを乞う神々』（吉川弘文館、2005）、『供養のこころと願掛けのかたち』（小学館、2006）、『三省堂年中行事事典』〈共編著〉（三省堂、1999）など。

田中宣一

はじめに

「国民の祝日」と総称される日は「国民の祝日に関する法律」によって、現在、十六日定められている。法律制定当初の昭和二十三年には九日だったが、昭和四十一年以降、改定が重ねられて十六にまで増えたのである。そして、「国民の祝日」を定める理由は、「美しい風習を育てつつ、よりよき社会、より豊かな生活を築きあげるために」「国民こぞって祝い、感謝」するためだと述べられている。同時に、これら祝日は休日にするとも記されている。

本章の目的は三つある。

一つ目は、「こどもの日」と「成人の日」は戦前の祝祭日にはまったくなかったものだが、制定当初から「国民の祝日」に加えられたいきさつについて考えることである。「国民の祝日」は衆議院参議院の当時の文化委員会において検討されたのであるが、国会に上程されたさい、参議院の文化委員会委員長であった山本勇造（作家の山本有三）は、この二つを含ませたことについて特に、「このたびの選定にあたりまして、子供の日、成人日が入っておりますることは、特に次の時代のひとびとに強い希望をかけておるからでございます」と述べている。戦後の混乱のなか、新生日本建設の担い手としての青少年に期待し、青少年を祝い励ます日を設けようという関係者の強い意思からであった。

二つ目について。勅令によって定められていたそれまでの祝祭日には、名称と月日が挙げられているだけで、それぞれの日を祝う理由は明示されていなかった。すべてが皇室中心の儀式日であるためその必要がなかったからであろうが、「国民の祝日」にはそれが明示されることになったのである。とはいえ、現在多くの人は、名称を聞いただけで祝う理由がそれなりに理解できるからであろうか、明示されている祝う理由にはことさら関心を向けない。しかしこの簡潔な文の中には、選定に関わった当時の人の深い願いと苦心が籠められているのである。その一端を明らかにしておきたい。

三つ目は、平成三十年の民法改正によって令和四年四月から成人の年齢が十八歳になるが、そうなると「成人の日」は現在の一月のままで果たしてよいのか、について考えることである。大学進学者が同年齢者の半数以上になっている今日、成人の日が現在の一月第二月曜日のままだと、十八歳の多数者はこの時期、目前に迫った大学受験準備のために精神的にあまりにも落ち着かない日々を送っているはずであり、地方自治体などが主催する成人式への参加者は激減することが予想される。成人式だけは今のままの二十歳に行なってよいのではないかとか、そもそも自治体が音頭をとる成人式など必要ではないという意見もあるようだが、「国民こぞって祝い」の趣旨に則って成人式はすでに各地で定着しているのである。この機会に成人式や成人の祝いはいかにあるべきかを考えておくことには意味があるだろう。

1　「国民の祝日」について

(1) 近代の祝祭日

国が定める祝日は、暦が太陰太陽暦（いわゆる旧暦）から太陽暦（新暦）に改められた直後の、明治六年一月四日の太政官布告に、

今般改暦ニ付人日上巳端午七夕重陽ノ五節ヲ廃シ　神武天皇即位日天長節ノ両日ヲ以テ自今祝日ト

被定候事

と述べられたことに始まるとみてよいであろう。すぐに神武天皇即位日が紀元節と命名され、さらに同年十月十四日には、「年中祭日祝日等ノ休暇日左ノ通候條此旨被布告候事」としていくつかの年中祭日祝日が加えられ、これらの日々を休日とすることが公定された。その後、春季皇霊祭と秋季皇霊祭、神嘗祭が追加され、明治十二年までには、左のような祝祭日が定められたのである。これら祝祭日は基本的に大正、昭和終戦時まで踏襲され、天皇中心の皇室行事かつ国の祝祭日として祝われたのである。

元始祭（一月三日）新年宴会（一月五日）孝明天皇祭（一月三十日）紀元節（二月十一日）春季皇霊祭（春分日）神武天皇祭（四月三日）秋季皇霊祭（秋分日）神嘗祭（十月十七日）天長節（十一月三日）新嘗祭（十一月二十三日）

このうち孝明天皇祭とは、先帝すなわち明治天皇の前の天皇であった孝明天皇の崩御日であり、神武天皇祭とは『日本書紀』に記す初代天皇である神武天皇の崩御された日（いずれも旧暦を新暦に換算した日）で、両天皇の神霊を奉斎するために設けられた日である。これら十の祝祭日のうち、元始祭のように祭のつく日が祭日、紀元節など祭のつかない日が祝日で、合わせて祝祭日と呼び慣わされていた。ほかに祝日には加えられていないが、四方拝の日（一月一日）も祝日扱いされるようになった。

その後、大正と昭和の初頭には当然のことながら天長節と先帝の祭日が変わり、また、昭和の初めには明治天皇を偲ぶ明治節が新たに加えられて、祝祭日数は十一になった。参考までに、昭和終戦時までの祝祭日を定めた昭和二年三月三日の勅令第二十五号を挙げておこう。

元始祭（一月三日）新年宴会（一月五日）紀元節（二月十一日）春季皇霊祭（春分日）神武天皇祭（四月三日）天長節（四月二十九日）秋季皇霊祭（秋分日）神嘗祭（十月十七日）明治節（十一月三日）新嘗祭（十一月二十三日）大正天皇祭（十二月二十五日）

これらの祝祭日が、昭和二十年八月十五日の終戦時まで祝われていたのである。

祝日・祭日の変遷

明治十年代以降	大正時代	昭和前期	昭和二十三年公布	令和元年現在
元始祭・新年宴会・紀元節・春季皇霊祭・神武天皇祭・秋季皇霊祭・神嘗祭・新嘗祭、天長節・（先帝の）祭	同上	同上のほか、明治節	元日・成人の日・春分の日・憲法記念日・こどもの日・秋分の日・文化の日・勤労感謝の日・天皇誕生日	同上のほか、建国記念日・昭和の日・みどりの日・海の日・山の日・敬老の日・体育の日

(2)「国民の祝日」の制定

冒頭でも述べたように、「国民の祝日」は昭和二十三年七月二十日に公布施行された。この法律の附則に昭和二年勅令第二十五号を廃止する旨が記されているので、主体的に祝うことは難しかったとしても、終戦後もそれまでは、昭和二年に定められた祝祭日は生きていたことになる。とはいえ、皇室行事としてはつづけられていたのであろうが、占領下においては、国の祝祭日として従来通りに祝いつづけることは難しく、政府は祝祭日のそのつどGHQ（連合国軍総司令部）に許可を求めて、官公庁や国民各家が国旗を掲げて祝意を表わしてもよいということを、公表していたようである。

このようななか、昭和二十二年五月に新たな日本国憲法が施行されると、第一回国会において、憲法に則った形での新たな祝祭日検討の声が上がりはじめた。管見によると、それは昭和二十二年十一月下旬から十二月初旬にかけてだったかと思われる（註1）。

最初は、衆議院の文化委員会に属する委員が当時の片山首相や森戸文相に、戦後の空虚な生活には国民的行事が必要であり、従来の皇室中心の祝祭日ではなく、国家として新たな日々を設けてはいかがと見解を質し、さらに文化委員会において超党派的にこの文化政策を考えていきたいと述べたことに始まる。これに対して政府は、それまでの祝祭日が勅令によって定められていたので、新憲法下でも政府が決めるべきだと考えたのであろうか、直ちに閣議を開いて成案を決定し、十二月六日に国会に対しこの成案を示して、年明け早々の昭和二十三年一月一日をもって施行する発令に、同意を求めるよう急ぎ提案したのである。

驚いた衆・参両議院では文化委員会の衆・参合同打ち合せ会を開いて検討し、政府の考えに対して次のように反対したのである。

祝祭日は、広く国民一般の重大な関心事であり、国民の生活感情と密接なつながりを持つものであるから、政府側において一方的に政令をもって決定することは好ましくない。当然国民の代表たる国会において、決定するのが、最も適当であり、更に将来長く行われなければならない祝祭日を、急速に定めることはややもすれば慎重を欠く嫌があり、宜しく充分なる調査、研究を経た上で決定すべきである（註2）。

このような国会の意思を尊重して政府が提案を撤回した結果、以後、新たな祝祭日の検討は両院の文化委員会を中心に国会においてなされることになった。そして政府はいわば裏方として、年末年始を挟んで総理庁官房審議室が中心となり、何回も研究会を開くとともに、世論調査を実施し、国会に向けて参考資料作成に動いたのである。

いよいよ昭和二十三年一月に第二回国会が召集されると、衆・参両議院の文化委員会において侃々諤々の議論が重ねられ、紆余曲折をへて、九つの祝日の選定と、これらの日々を「国民の祝日」（祭日はなくなった）と総称することに合意がなされ、ようやく七月初旬、「国民の祝日に関する法律」が国会において可決され、七月二十日より施行されたのである。その間もちろん、いわゆる文化人やマスコミが論陣を張ったり、全国各団体から国会に向けて各種請願が多数寄せられもしたのである。それに、占領下の悲哀でGHQの意向も無視できなかったのである。

（3）「休日」ということ

祝日というと、官公庁や学校では当然のように業務を休みにする。サービス業などはそうもいかないだろうが、多くの一般企業でも休む。なぜだろうか。かつての勅令が「祭日及祝日ヲ休日トス」と定め、それを継承して、「国民の祝日に関する法律」にも「『国民の祝日』は休日とする」と定めているからである。現在では当然視されている祝日イコール休日ではあるが、ではなぜ、祝日をわざわざ「休日」にしなければならなかったのか。ここで詳しく述べる余裕はないが、結局は明治政府の職員の休暇日の問題に帰着するのである。しかし、日曜日は休み、土曜日も半日休みである職員に、これら祝祭日までも休日にしなければならなかった理由は何であろうか。

筆者はそれを、当時の社会において、何かを祭り祝うめでたい日には、平常の業務・労働を休んで祭り祝うことに専念すべきだという観念が支配的であったからだろうと考えている。このことは現在の「国民の祝日」を考えるさいにも、よく心しておくべきことであろう。かつてよく口にされた「怠け者の節供働き」「フユジの節供働き（フユジとは不精進者の意）」という成語がそのことを端的に表わしているといえよう。この二つの成語は、節供に働いている人を、働くべき時に怠けていたから仕事が遅滞してしまい、節供のような皆が休む日にまで働かなければならなくなったのだといって嘲笑し、非難している言葉なのである。要するに祭日・祝日には、平素の労働から離れて（休んで）、祭る・祝うという本来の目的に専念すべきだという当時の常識に支えられた非難なのである。休日に平常の業務・労働を避けることは、たといそれが身体の休養になったとしても、本来は労働休養日などではなく、労働から離れる代わりに、祭る・祝うという責務を果たすべきだと考えられていたからであった。

休日とは本来そういう性格の日なのであるが、現在では休む本来の意味が忘れられて、単なる遊休日になっているように思われるが、いかがであろうか。どこかで一度、原点に立ち戻ってそれらの日々が休日になっている意味を考えてみることも必要であろう。

2 通過儀礼としての両日

(1) 通過儀礼ということ

「こどもの日」「成人の日」を祝うことは、祝われる当人にとっては一種の通過儀礼、人生儀礼にあたる。

人は生まれてから死を迎えるまで、いろいろな節目ごとに、さまざまな儀礼を体験し（あるいは体験させられ）祝われる。生まれて間もなくの名付けや宮参りの祝いから始まり、最後は死の儀礼でもって人生を閉じるわけである。その間、学齢にあるときには何回か卒業や入学の儀礼を繰り返し、社会に出てからは入退社式や役職への昇進、転勤、引越しのさいの挨拶など、簡単なものから盛大なものまで各種儀礼を経験する。結婚の儀礼や厄年の祝いもその一つである。いずれも或る立場から別の或る立場への、年齢的地位的空間的な変化のさいになされる儀礼で、回数や種類は人それぞれによって異なるとしても、誰でも必ず体験する儀礼なのである。

このような儀礼をひっくるめて、一〇〇年ほど前にファン・ヘネップは通過儀礼と総称した（註3）。そしてこれらの儀礼は、人が今までの或る立場から分離し、移行期間をへて別の立場への統合をはたすという構造を持っていることも明らかにしたのである。そのうちの、年齢を重ねるごとに行なわれる一連の儀礼は人生儀礼ともいわれる。

これらの儀礼にとって重要な点は、そのつど社会的承認がなされているということである。関係する地域社会や集団がそのこと（分離・移行・統合）のなされたことを認めることによって、認められた個人の新たな立場での生きる力が、それまでよりより強固になると考えられているわけである。

そしてその承認は、ほとんどの人ほとんどの場合、祝いという好意的承認の形がとられるのである。「こどもの日」や「成人の日」は、こういう通過儀礼（人生儀礼）の一つだとみてよいであろう。

(2) 幼少年期の通過儀礼

幼少年期には、名付け、初宮参り、食初め、初節供、初誕生、七五三など、さまざまな祝いがつづけられる。精神的肉体的に不安定な（未熟な）個体を、神仏に祈り多くの人が励まし承認することによって、安定したしっかりしたものに成長させていこうとする儀礼である。細部にわたれば異なっていても、古来全国各地で行なわれてきたし、現在に引き継がれているものも多い。

伝統的な端午の節供の期日がその日に踏襲されていることからわかるように、「こどもの日」がこれと無縁であるはずはないのである。

(3) 成人の規準

社会が或る個人を成人（一人前）と認める規準には、二つある。一つは、一定の年齢に達しているかどうかであり、もう一つは、その社会が求める一定の能力を備えるようになっているかどうかである。

現在の日本では、もっぱら二十歳（いずれ十八歳に改められる）に達したことをもって成人としているが、かつての地域社会や集団の認める成人年齢は、十三歳、十五歳〜十八歳などさまざまであった。さらに年齢に加えて、当該社会が暗黙のうちに認める一定の能力を備えているかどうかについて考えているところも少なくなかった。農山漁村社会では、男女共、一日に一定の仕事量（力仕事・田植え・船漕ぎ等）を無難にこなせることが成人認定の重要な規準であり、胆力・体力・精神力を確かめるために、霊山に無事登拝できたかどうかを一つの規準にしている場合もあった。職人集団においても、それぞれの仕事において一定の質量をこなせるようになっているかどうかが重要な規準だった。そして周囲の人びとが一人前に達したと認めたさいには、地域社会・集団特有の承認の儀礼、祝いがなされたのである。現代の職場においても、そのような暗黙の規準は形を変えて存在するのではないだろうか。

法律が定める現在の成人はまったく年齢によるものではあるが、選挙権や諸資格の与件を年齢に関係させていることを考えると、能力に達しているか否かということがまったく無視されているというわけではないだろう。「成人の日」は、成人の規準をクリアしたことを社会として認め祝い、かつ本人にその自覚を促す通過儀礼、人生儀礼の一つだといえるのである。

3 「こどもの日」の意義

(1)「こどもの日」の設定

「こどもの日」は、勅令による祝祭日には設けられていなかった。しかし、「国民の祝日」設定に当たって、昭和二十三年初頭、政府が全国一三九カ所、約六〇〇〇人を対象に実施した祝祭日希望の世論調査では、三十位までのうち七位に雛祭、八位に端午の節供というように、子供関係の祝日希望が二つ入ったのである（因みに一位は紀元節、二位は明治節、三位は天長節だった）。また国会へは、子供のための日を設けてほしい旨の請願が全国から次々に寄せられたのである（註4）。

国会としても、澎湃と湧きおこったこのような民意を受けて、「こどもの日」を、早い段階から有力な候補日として検討の対象にしてきた。議論の過程では雛祭・端午の節供などは「習慣的にやっておることで、各自の自由で家でやればよいことで、国家的な祝日とする必要はない」という意見も出たが、全体の流れは、将来の国家を担う子供たちを、国を挙げて勇気づけ祝う日を設けようということには、賛成だったのである。ただ子供の定義や祝う年齢は曖昧で、対象は子供一般ということだったと思われる。

(2) 日の選定と「母に感謝」という理由

それでは、いつの日を「こどもの日」にしたらよいのか。日の選定についてはさまざまな意見が出た。主なものは、上巳の節供(桃の節供、雛祭)である三月三日、端午の節供である五月五日、それに七五三の祝いである十一月十五日だった。戦後に初めて選出された女性議員からは三月三日を推す声もあったが、それまですでに一部民間において、五月五日を児童愛護デーとかその前後一週間を児童愛護週間として祝っていたという事情や、このような事実を背景にして当時、厚生省が後押しして児童福祉法制定の予定があったなどの理由で、五月五日とする意見が大勢を占めたようである。

ここで考えておきたいことは、「国民の祝日に関する法律」において、「こどもの日」を祝う理由が「こどもの人格を重んじ、こどもの幸福をはかるとともに、母に感謝する」となっていることである。「父母に感謝」「両親に感謝」や「見守り育んでいる周囲の人びとに感謝」ではないのである。「…とともに、母に感謝する」という文意は、〝子供が母に感謝する〟ではなく、〝社会一般がそういう子供を生み育ててくれた母に感謝する〟〝社会の人皆が自分の母に感謝する〟という意味であろう。

そういう文言が入れられたわけを推測するに、そこには三月三日ではなく、男児の祝い日である「端午の節供」の日（五月五日）を「子供の日」に定めたことについての、女性議員や関係団体への配慮が見え隠れするのである。さらには、祝日選定にあたって女性議員から「母の日」設定とか、戦後婦人参政権が認められたことを記念して、「婦人の日」を祝日に加えてほしいという声が挙がっていたことをも踏まえているのだと思われる。「国民の祝日」選定の過程で、祝日候補として挙がっていた日があまりにも多すぎて（例えば聖徳太子の日、花まつり、七夕、クリスマス〈国際親善の日として〉、発明の日等々）、関係者は、いちいちこれらの要望を受け入れていたのでは祝日が多くなりすぎて困る、と思っていた。日本復興のために働かなければならないと言われていた当時にあっては、祝日（すなわち休日）数を多くするわけにはいかなかったのである。「こどもの日」を祝う理由の中に、「母に感謝」という子供以外の要素を含ませたこと、しかも感謝の対象が父母や両親の語ではなく、母限定のような形で「母に感謝する」という文言を入れたのには、要望が多かったにもかかわらず「母の日」「婦人の日」を選定できなかったことへの、女性・母・婦人に向けての関係者のいわば苦心の回答でもあったのである。

(3) 関連させ「勤労感謝の日」について

「こどもの日」を祝う理由に「母に感謝する」が記されたことと関連させて、通過儀礼とは異なるが、「勤労感謝の日」の名称についても述べておきたい。

戦前までの十一月二十三日は「新嘗祭」の日だった（旧暦では十一月の二番目の卯の日だった）が、新たな「国民の祝日」では、この日が「勤労感謝の日」に変わってしまった。皇室中心祭日である「新嘗祭」は、GHQの意向によって「国民の祝日」に加えることは困難だったではあろうが（GHQは皇室中心の行事を国家行事から排除すべきであると伝えていたようである)、それはそれとして、「新嘗祭」の名称に固執する議員が少なくなかったなか、その意見を容れずに「勤労感謝の日」としたのにも、「こどもの日」を祝う理由に、「…とともに、母に感謝する」を加えたのと同じような事情があったのである。

実は当時、労働運動の国際的記念日であるメーデー(五月一日)を祝日に加えよという意見も強かった。しかし、「母の日」「婦人の日」と同様に数が多くなりすぎるという理由で、メーデーを祝日に加える余裕はなかった(主義主張に基づく反対もあったようであるが)。さりとて、世の働く人びとへの配慮が必要だとの認識は多くの議員に共有されていた。そこで、「新嘗祭」という名称では存在が危ぶまれていた十一月二十三日という日に、目が向けられたのである。

新嘗祭は本来は稲の祭りであり、豊作を感謝すべき日である。しかしまた、豊作は農民の労働の成果でもあるのだから、労働への感謝の日だということもできるであろう。それならば労働そのものと、農民・工場労働者および働く者すべてへの感謝の日だと拡大解釈することも可能である。というわけで、「労働感謝の日」という意見もあったがこれは斥けられて、この日が「勤労感謝の日」と命名され、祝う理由に「勤労をたっとび、生産を祝い」という文言が入ったのである。このように五月一日を避けた代わりに、メーデーの趣意をも含ませてメーデー支持者への配慮を滲ませ、十一月二十三日を「勤労感謝の日」という祝日にしたというわけである。

同時にこのことは、「新嘗祭」に固執する意見に対する配慮でもあったのである。それは、「新嘗祭」が皇室行事だという理由でGHQに反対され実現が難しいのならば、祝日の名称を「勤労感謝の日」と改めることによって、近代以来「新嘗祭」の日でありつづけた十一月二十三日を、祝日として辛うじて守ることができたという事実によってである。さらに祝う理由に「生産を祝い」の文言を入れ、農作物

（米）の生産の意を滲ませることによって、「新嘗祭」の名称に固執する人びとを納得させようとしたのであった。

ここにも関係者の苦心を読みとることができるわけで、「国民の祝日」設定は一朝にして成し遂げられたわけではなかったのである。

4 「成人の日」の意義

(1)「成人の日」の設定

「こどもの日」と同様、「成人の日」も勅令による祝祭日には設けられていなかった。また「成人の日」設定の議論は、国会の議事録に当たる限り、最初からなされていたわけではなかったようである。政府が行なった世論調査においても、候補日に挙げられてはいなかった。祝祭日の議論が進む過程において、今後の新生日本を担う青少年に期待し大いに励まさなければならないという思いから、「こどもの日」のほかに、「成人の日」の構想が徐々に高まっていったのだと考えられる。

しかし、成人（一人前）になったことを承認し祝福する習俗は、先にも少し触れたように人生儀礼としてわが国には古くから存在していた。名付けや初節供・初誕生の祝いのように、まだ肉体的精神的に未熟な子供を祝い励ますことも重要なことだが、それにもまして成人を祝うことは、一人前と認めた青年を、新たに地域社会や集団に迎え入れるという意味で、社会としての期待値はより大きかったはずである。

(2) 祝う年齢と日の選定

成人年齢は二十歳であったが、かつての公家・武家社会において成人に達したことを祝う元服儀礼はそれより若い年齢の儀礼であったし、近代の地域社会においても、若者組とか青年団に加入して一人前になったと認められる儀礼は、十三歳(主として女子)や十五歳から十八歳に行なわれることが多かった。民法に二十歳と規定されていたとしても、これら習俗を無視できずに、「成人の日」設定にあたっては成人年齢の議論が重ねられた。しかし結局は、終戦時までの男子の兵隊検査の年齢が二十歳であったことに鑑み、「成人の日」で想定する成人とは、男女ともに二十歳に達した者であるという理解に落着いたのである。しかし祝う理由の中にそのことを明示せず、暗黙の了解にとどめたのである。

祝う日の方はさしたる議論もなく、一月十五日に決まったように思われる。それは正月だからである。暦の上では元日からが新年ではあるが、当時の地域社会(特に農山漁村)においては、元日中心の正月(大正月)と並んで十五日中心の正月(小正月)を祝う風が強かった。そして小正月に地域の初寄合いを開いたり、若者組・青年団の入会式を行なう所が少なくなかったからである。こういう事実を背景にして、元旦につづく祝日として、「成人の日」が一月十五日に定まったのだとみてよいであろう。

「成人の日」が右のように決められていったことを踏まえ、自治体においては、一月十五日に、二十歳の青年男女に成人の自覚を持ってもらうよう、祝い励ますための成人式を催すことが盛んになり、定着していったのである。しかしその後、経済優先のハッピーマンデーの掛け声のもと、祝日としては十五日ではなく、一月の第二月曜日に変更になった。また多くの成人に受け入れてもらえるよう、地域の実情に応じて、正月三日内とか盆期間中に行なう地域も増えていっているのである。

5　十八歳成人時代の「成人の日」

(1)　成人式開催の悩み

民法の改正によって、令和四年四月から成人年齢が十八歳になることが決定している。選挙権が十八歳以上の者に与えられることになったのと連動した成人年齢引き下げだが、これによってすでに、成人式を催すタイミングで迷い始めている自治体が少なくないようである。さらには国会議員の間で、「成人の日」が果して現在のままの一月第二月曜日でよいのか、法律を改正して祝日を変更しなくてもよいのかについて、議論が始められているようでもある(註5)。

自治体の悩みは、今後、十八歳の人を対象に一月第二月曜日に成人式を開催しても出席者が少なく(ということは祝いの趣意が無視され)、式の目的達成が困難になるのではないかという悩みである。同年齢者の半分以上が大学に進学するようになっている現在、十八歳の過半者が受験に心奪われているこの時期に式典を催しても、参加してくれないのではないか、もしそうなったら、自覚を促し祝い励ます意が届けられなくなるのではないか、式典が有名無実になるのではないか、という悩みなのである。

(2)　十八歳の青年の祝い

右の悩みの対応策として、成人式だけは従来のまま二十歳に挙行しようという自治体もあるようだが、成人年齢が十八歳に決まった以上、その祝いを二十歳の年に開催したのでは、祝う意味が薄れるのではないであろうか。参加者の減少を心配して従来の二十歳成人式を踏襲しても、最初の数年は「二十歳（はたち）の祝い」という惰性が働いてそれでも何とか形をなすかもしれない。しかし成人に達して二年ほど経った者にとっては、参加しても新鮮さが感じられなくなっており、参加者はかえって徐々に少なくなって、式挙行の目的は達せられなくなるであろう。

それでは新たにどのような日を選んだらよいのであろうか。若干の提案をして本章を閉じたい。

(3) 新「成人の日」を考える

成人年齢が十八歳になった以上、成人の祝いも、十八歳に達した（あるいは達する）時期に行なうべきは、当然であろう。そして同じ学年の者が同時に祝われるのが最も好ましいあり方だと思う。その前提に立って、日の選定について考えてみたい。

高校進学率が九十パーセントを越えている現在、一月第二月曜日の「成人の日」には、十八歳青年の大部分は高校三年生ということになる。さらに同一年齢者の大学進学者が半数を越えている現在、大学進学を目指す多くの十八歳青年は、祝い励まそうと言われても受験というハードルを前にして、成人式に出席して成人の覚悟を固める心境にはなかなかなれないであろう。このように多くの青年が厳しい状況下に置かれている一月第二月曜日の「成人の日」が、はたして適切な日だといえるであろうか。何も、適当と思われないこの時期に固執する必要はないであろう。現行の「成人の日」は、祝う日を変更するのがよいように思われる。

一月の「成人の日」に長年馴染んできた人は時期変更に躊躇をおぼえるかもしれないが、「成人の日」はすでに最初の一月十五日から、連休にして経済発展をはかるという理由で一月第二月曜日に変更になっているではないか。日は絶対ではないのである。春分の日・秋分の日や憲法記念日（現行憲法の施行日である五月三日）ならば、その日は絶対であるともいえよう。それでも、日を絶対とみなしてもよい体育の日（東京オリンピック開会式だった日）が、変更になったのである。対象とする青年達の多数にとって、より適切な日が他にあるのであれば、法律を改正して日の変更を考えるのが自然であろう。

変更する場合、新たな日の選定については議論百出となるであろう。その中で、多くの青年にとって時間的余裕があり同じ条件下にある時がよいとすれば、春の四月上旬か三月下旬が適切であろう。この時期は、日本列島ほとんどが寒さを脱し陽光に包まれはじめる時であり、花々の季節を迎え木々の芽吹きに心躍らせる良い季節である。

四月上旬を考える場合、この時期、対象となる青年の大部分が高校三年生になったばかりのときである。今後一年以内に十八歳になり全員が選挙権を得るのだから、成人たる自覚を促し成長を祝い励ますには、時期として適当である。現行「成人の日」と同じく月曜日にして日曜日と連休にする方法を踏襲すればよい。日を第一月曜日とすれば四月七日までになり、高校の授業への影響はほとんどないであろう。高校卒業直後の四月上旬も考えられないわけではないが、他所の地に就職した者には就職直後に当たり、ちょっと酷な時期かもしれない。

もう一方の三月下旬を採用する場合には、高校卒業の時期であるが、下旬ならば卒業式は終っているはずである。ほぼ全員がすでに十八歳に達しているし、十八歳になってまだ一年経っていないのだから、新鮮な気持で成人になったことを自覚でき、祝福激励も受けることができるであろう。対象者の相当数が大学合格を決め胸躍らせている時期でもある。残念ながら浪人を余儀なくされている者でも、下旬であるならば大学不合格の傷もいくらかは癒え、翌年に向けてファイトを燃やし始めているであろう時期である。また就職する者にあっては、入社式を控えて精神的時間的に余裕があり、新たな社会に漕ぎ出す希望に満ちている時期である。先の通過儀礼の構造に即して言えば、高校の卒業式はもう終っていて高校生という立場から分離し、次の段階（大学生もしくは社会人）への統合を控えた、いわば移行の時期である。移行の時期はどっちつかずの不安定な時期ではあるが、新たな立場に向けて希望に満ちている時期でもあるのだ。「成人の日」を設けるのに最も適切な時期だといえよう。

ただ、中学校卒ですでに実社会に出てしまっている青年にとっては、大きな節目の時期とは言いがたいが、社会へ出て三年目が経過したときで、これら青年も「成人の日」を、成人として社会生活を送りつづける上での大きな節目にすることができよう。

三月下旬を採用した場合でも難しいのは日の選定であるが、三月第四月曜日、もしくは「春分の日」の前日か翌日とすれば、現行のように連休の踏襲も可能となり、問題はない。四月上旬と同様に、日本列島のほぼ全域が美しい春を迎えようとしている候でもあるのである。

おわりに

まず初めに「こどもの日」と「成人の日」が、昭和二十三年制定の「国民の祝日に関する法律」によって、「国民の祝日」に設定されていった経緯をたどることができた。青少年の祝い日は、それまでの勅令による祝祭日には含まれていなかったが、一般の習俗としては長年伝承されてきた祝い日である。それを国として祝い励まし自覚を促すべく祝日として位置づけたのには、終戦後における新生日本の将来の担い手としての、青少年への期待の大きさを感じることができる。また、祝日が休日になっている理由にも言及できた。

「国民の祝日」には、祝日ごとに祝うべき設定の理由が述べられている。そのうち、「こどもの日」と「勤労感謝の日」のその理由を注意深く読むことによって、法律制定に当たった関係者の「国民の祝日」に寄せる思いと、選定の苦心の一端を知ることができた。

最後に今後の課題として、成人年齢十八歳時代があと数年後に迫っている現在、「成人の日」は一月第二月曜日のままでよいのかについて、若干の提案を試みた。十八歳成人時代の「成人の日」は、草木萌え出づる春に変更できないものかと提案したのである。その中でも成人式を催すことを念頭に置くならば、三月下旬の「春分の日」と連動させてその前後か、もしくは三月第四月曜日が最適当日だと思うと述べた。いかがであろうか。ご意見ご批正をお願いしたい。

以上、累々述べてきたが、本書の主題であるアート・プロデュースに直接結びつく内容ではないかもしれない。しかし、人びとの生活をより豊かに築こうと目ざす点では、祝日の設定はアートに通じるものがあるであろう。また、十八歳成人時代の到来を受けて、「成人の日」そして成人式をいっそう有意義な祝いにプロデュースすべく、日の設定変更について提案を試みた次第である。

【註】

（1）これについては、拙稿「『国民の祝日』の選定」（『儀礼文化』三七　平成十八年）において、いくらか検討したことがある。

（2）受田新吉『日本の新しい祝日』日本教職員組合出版部　昭和二十三年　三十六頁

（3）ヘネップ（綾部恒雄・綾部裕子訳）『通過儀礼』弘文堂　平成七年

（4）昭和二十三年前半の衆・参両議院文化委員会の議事録による。以下の国会の議論においても、この世論調査は参考にされた。

（5）平成三十一年四月二十三日、衆議院第二議員会館会議室における自民党有志議員の「成人の日」を考える会に招かれて、筆者もほぼ本章に沿った意見を述べた。

✝編著者
境新一（さかい・しんいち）
1960年東京生まれ。慶應義塾大学経済学部卒業、筑波大学大学院ならびに横浜国立大学大学院修了、博士（学術）。専門は経営学（経営管理論、芸術経営論）、法学（会社法）。（株）日本長期信用銀行・調査役等、東京家政学院大学／大学院助教授を経て現在、成城大学経済学部／大学院教授。指定管理者選考員会委員長（世田谷区、相模原市）ほか公的職務、現代公益学会・副会長。生活協同組合パルシステム理事（有識者）、桐朋学園大学、筑波大学大学院、法政大学、中央大学大学院、フェリス女学院大学、日本大学、大妻女子大学の各兼任講師（歴任を含む）。
主著『現代企業論』『企業紐帯と業績の研究』『法と経営学序説』（以上、文眞堂）、『アート・プロデュースの現場』『アート・プロデュースの仕事』『アート・プロデュースの未来』『アート・プロデュースの技法』（以上、論創社）、『アグリ・ベンチャー』『アート・プロデュース概論』『アグリ・アート』（以上、中央経済社）ほか。

アート・プロデュースの冒険

2020年6月15日　初版第1刷印刷
2020年6月25日　初版第1刷発行

編著者　境　新一
発行者　森下紀夫
発行所　論創社
東京都千代田区神田神保町 2-23　北井ビル
tel. 03（3264）5254　fax. 03（3264）5232
web. http://www.ronso.co.jp/
振替口座　00160-1-155266
装幀／野村　浩
組版／フレックスアート
印刷・製本／中央精版印刷
ISBN978-4-8460-1931-0　